Plaisir de
peindre

Édité par :
© Hachette Collections 2004
www.hachette-collections.com

Cet ouvrage est une édition partielle de l'encyclopédie
« Réussir ses aquarelles »
© Hachette fascicules MM

Maquette de couverture : Graph'm
Illustrations et photos de couverture : Joëlle Bondil, Bénédicte Peyrat
Illustrations : Isabelle Arslanian, Joëlle Bondil, Béatrice Boulingre, Dorothée Duntze, Agnès Durand,
Sonia Paolini, Pierre Pasquereau, Catherine Perdriaux, Bénédicte Peyrat, Christophe Pradal, Yann de Renty,
Théo Sauer, Marianne Le Vexier
Directeur de collection : Dominique Foufelle
Rédaction : Sylvie Albou-Tabart, Isabelle Arslanian, Joëlle Bondil, Nathalie Chahine, Jérôme Erbin,
Dominique Foufelle, Sophie Lebel, Marianne Le Vexier, Sonia Paolini, Bénédicte Peyrat, Christophe Pradal,
Yann de Renty, Théo Sauer

Tous droits réservés pour tous pays
Imprimé par Graficas Estella (Espagne)
Achevé d'imprimer : août 2004
Dépôt légal : septembre 2004
ISBN : 2-84634-347-0

DU CÔTÉ DES LOISIRS

Plaisir de peindre

HACHETTE
Collections

Sommaire

Plaisir de peindre vous propose une initiation à différentes techniques de base du dessin et de la peinture : gouache, huile, aquarelle, acrylique, sanguine, encre, feutre, pastel, crayon de couleur, etc.

Un cours vous présente dans un premier temps le matériel nécessaire et les bases de la technique. Vous pouvez ensuite mettre en pratique vos connaissances grâce à des exercices sous forme de pas à pas. Vous apprendrez également à mélanger les différentes techniques apprises pour pouvoir réaliser des œuvres originales avec de superbes effets de matière sur des supports originaux.

Tous les cours et exercices sont richement illustrés et de nombreux encadrés apportent des compléments d'informations pour aller plus loin dans votre apprentissage.

Plaisir de peindre est l'ouvrage de référence pour tous les passionnés de peinture.

La gouache

Découverte de la gouache

La peinture à la gouache offre des possibilités visuelles très étendues. Cette technique est bon marché et peu encombrante.

La gouache est composée d'un pigment coloré en poudre mélangé à de la gomme arabique, très peu de glycérine et de fiel de bœuf. On y ajoute une part plus ou moins importante de craie précipitée, qui joue le rôle d'agent opacifiant. Car l'intérêt de la gouache réside bien dans le choix qu'elle offre de travailler soit avec des lavis (en diluant beaucoup la couleur avec de l'eau), soit en couche épaisse et opaque.

Il est possible, avec la gouache, de poser des couleurs claires sur des fonds plus foncés.

▲ Préparez à l'avance votre matériel : tubes de gouache, pinceaux, verre d'eau, papiers et assiette.

Le matériel

Les couleurs

Il n'est pas particulièrement intéressant de commencer à peindre à la gouache avec des couleurs bas de gamme.

Avec un budget de 40 €, vous pouvez posséder une palette complète qui durera longtemps. Achetez donc de bonnes couleurs en tube et de marque réputée. Une quinzaine de couleurs semblent suffisantes. Voici la gamme que l'on peut vous recommander : noir d'ivoire, vert émeraude, carmin, terre de Sienne brûlée, bleu de Prusse, bleu outremer foncé, bleu de caeruleum (imitation), rouge de cadmium clair, rouge de Chine, violet persan, jaune de cadmium foncé, jaune de Naples (imitation), jaune citron et blanc de titane.

Les pinceaux

Pour ce qui est des pinceaux, vous pouvez utiliser du matériel standard, mais aussi des brosses plus dures, en soie de porc, que l'on emploie surtout pour la peinture à l'huile. Tout dépend des effets de matière que vous souhaitez expérimenter.

Bon à savoir

La gamme de prix des tubes est assez large : cela est dû à la plus ou moins grande rareté des pigments les composant. Que ce soit pour l'aquarelle, la gouache ou la peinture à l'huile, les couleurs sont classées en « séries » : de la première, c'est-à-dire la moins chère, à la huitième (pour l'huile), la plus précieuse. Pour la gouache, cela va généralement de la première à la quatrième.

Le papier

Puisque la gouache est une technique à l'eau, il vaut mieux utiliser un papier assez fort. Son pouvoir couvrant peut cependant permettre d'utiliser du papier plus fin. Du papier journal peut tout à fait convenir ! N'oubliez pas non plus les papiers colorés, qui peuvent être une excellente base au travail de la gouache opaque.

Mise en route

• Installez-vous sur une table bien dégagée et posez en face de vous le matériel : un grand pot d'eau, les pinceaux, un chiffon, les tubes, ainsi qu'une vieille assiette blanche et plate que vous utiliserez comme palette.

• Disposez vos couleurs sur le rebord de l'assiette à au moins 5 cm de distance les unes des autres. Essayez de ne pas mettre une trop grande quantité de chaque couleur à la fois, car la gouache a tendance à sécher assez vite.

• Ne manquez pas, pour cette même raison, de bien reboucher les tubes.

• Commencez par faire quelques petits exercices pratiques pour vous familiariser avec les différents aspects de la gouache. Testez diverses dilutions, sur des papiers différents, avec des pinceaux de grosseurs variées.

• Apposez les couleurs en observant le jeu des contrastes entre elles. Superposez-les pour constater leurs transformations.

Test réalisé avec du rouge de cadmium clair

▲ Opaque.   ▲ Dilué.   ▲ Très dilué.   ▲ Pur, posé avec une brosse dure.

Test réalisé avec du rouge de cadmium clair

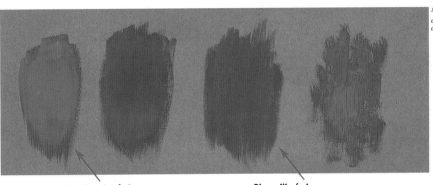

Sur un fond coloré, le rouge paraît plus vif et coloré.

Plus dilué, le rouge se transforme en brun.

Test réalisé avec du rouge de cadmium clair et du bleu outremer

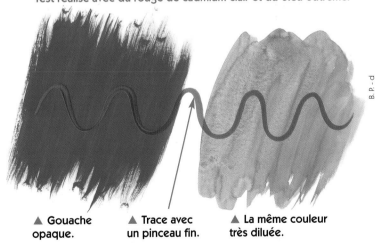

▲ Gouache opaque.   ▲ Trace avec un pinceau fin.   ▲ La même couleur très diluée.

Astuce

Si vous désirez créer votre propre papier coloré, vous obtiendrez de bons résultats en recouvrant votre feuille de gouache plus ou moins opaque. Attention toutefois à ne pas y mettre trop d'eau ce qui aurait pour effet de détremper votre support. La feuille sèche en dix minutes et vous pourrez entamer votre dessin. Ce petit exercice vous permettra en plus de vous délier la main avant de commencer votre ouvrage.

Exercice

En gouache, la matière est un élément très important. Nous allons expérimenter différents effets propres à cette technique.

Partons de la photographie d'un superbe paysage de montagne que vous aurez le plaisir à peindre : le lac Blanc et son refuge, dans le massif du Mont-Blanc.

Le point de départ

Esquissez les grandes lignes et délimitez les masses principales du paysage (le lac au premier plan, le chalet au deuxième, les montagnes au troisième, etc.). Exécutez cette première étape d'après la photo ou reprenez le dessin proposé, soit à main levée, soit en le décalquant. Photocopiez ou décalquez votre dessin. Ainsi vous pourrez faire plusieurs essais.

Cette ébauche sert à ▶ préparer le placement des couleurs. Ne vous attardez pas sur les détails. Une interprétation libre est tout à fait permise !

Franck Guiziou / Pix – a

B.P. - b

Bon à savoir

Le blanc figure comme couleur dans la palette de la gouache. Il n'est donc pas nécessaire de réserver des blancs sur le papier. Les touches claires peuvent venir en fin de réalisation.

Version fluide

À partir de votre dessin au crayon, faites une esquisse colorée avec de la gouache très liquide, un peu à la manière d'une aquarelle, mais sans prendre le soin de « réserver » à l'avance les parties qui seront claires ou blanches.

Ne cherchez pas à bien cerner le contour des montagnes, des rochers ou du lac : l'important, dans cet exercice, est le caractère fluide du dessin obtenu.

Savoir-faire

Vous vous apercevrez vite que, si le passage de votre pinceau est suffisamment léger, il est possible de superposer autant de couches que vous le souhaitez.

La couleur du fond transparaît sur le dessin final.

Jaune de cadmium foncé + bleu de caeruleum + beaucoup d'eau

Bleu outremer foncé

Terre de Sienne brûlée

Vert émeraude

Rouge de cadmium clair

Jaune de Naples

Bleu de Prusse + jaune de Naples

Vert émeraude + noir d'ivoire

Le passage de la brosse reste visible.

Les détails très fins ont été réalisés avec un pinceau pointu.

Version opaque sur fond couleur

Partez cette fois encore de votre dessin au crayon. Pour commencer, passez un fond coloré, liquide et transparent.

Prenez ensuite un pinceau assez petit et dur, en soie de porc, et utilisez votre couleur en la diluant très peu. Vous allez ainsi expérimenter le mélange des couleurs sur le papier même.

Utilisez ensuite de la peinture opaque et épaisse. Prenez soin de laisser sécher chaque couleur au maximum.

Revenez, enfin, avec votre pinceau seulement humecté avec un peu d'eau, aux endroits que vous désirez adoucir et rendre plus flous.

Deux techniques de gouache

Il est possible de travailler la gouache selon deux techniques différentes : l'une très diluée et l'autre plus opaque.

Il y a deux manières de travailler la peinture à la gouache : en lavis coloré et très liquide, ou en couche opaque. Et il est bien sûr évident que les deux approches peuvent se trouver réunies dans un seul et même dessin, si on le désire. Nous allons les étudier distinctement.

La préparation

Inspirons-nous de l'ambiance d'une ville de rêve : Venise. Avec la gouache, comme avec d'autres substances, tout commence par une esquisse. Nous avons choisi le motif simple d'une gondole, avec un fond qui peut se prêter à toutes les interprétations.

Peinture diluée

Commençons par une version avec une peinture très diluée. On a travaillé de façon assez spontanée, sans ordre bien précis. Cette façon de travailler convient bien au croquis en plein air, comme lorsque l'on désire « rendre » l'ambiance colorée d'une scène ou d'un paysage.

▲ On ne s'attarde pas beaucoup sur les détails, car le but est de passer tout de suite à la peinture.

On peut constater ▶ que les traits de crayon restent visibles dans les parties où la couleur est claire.

Peinture opaque

Cette seconde version montre la même gondole traitée avec de la peinture beaucoup moins liquide. Voici le travail décomposé de façon plus méthodique.

Première étape

Tout d'abord, recouvrez le fond d'une couche assez épaisse, mais pas totalement opaque, de terre de Sienne brûlée pour la partie haute et de bleu outremer pour celle du bas.

Deuxième étape

Attendez que cette couche sèche bien. Ensuite, posez de la couleur très opaque sur les différents éléments de la gondole, toujours en prenant soin de laisser sécher les couleurs afin qu'elles ne se mélangent pas : quelques dizaines de secondes suffisent. À ce stade, le contraste n'est pas très heureux entre lavis et zones opaques.

Troisième étape

Dans la dernière étape, appliquez de la couleur bleu semi-opaque sur le ciel, de telle sorte que l'aplat de gouache blanche formant un nuage se détache mieux. À certains endroits, repassez le pinceau simplement humide pour faire fuser la couleur d'une zone à l'autre, dans le but d'adoucir le dessin : c'est le cas pour l'ombre portée de la gondole dans l'eau ainsi que pour la ligne d'horizon.
Terminez enfin par la réalisation des détails très subtils, avec la pointe d'un pinceau, et de la gouache presque pure : cela a pour but de donner de la vie au dessin. Le résultat est un dessin à l'aspect mat qui laisse bien sentir le chatoiement du pigment pur.

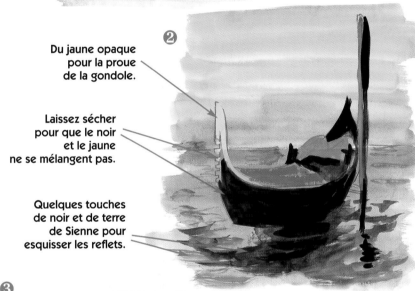

❶

Un fond terre de Sienne peu dilué est appliqué pour le ciel.

Ligne d'horizon.

Le dessin peut toujours se distinguer sous la peinture.

Un fond bleu outremer peu dilué est appliqué pour rendre l'eau.

B.P. - c

❷

Du jaune opaque pour la proue de la gondole.

Laissez sécher pour que le noir et le jaune ne se mélangent pas.

Quelques touches de noir et de terre de Sienne pour esquisser les reflets.

B.P. - d

❸

Le bleu permet de faire ressortir le nuage.

Un aplat de gouache blanche rapidement posé figure un nuage.

Les détails et finitions sont réalisés à la pointe du pinceau avec de la gouache presque pure.

Le passage d'un pinceau humide permet d'adoucir le dessin.

B.P. - e

Exercice

Réalisons à la gouache cette vue magnifique de l'île de San Giorgio Maggiore, en cinq étapes.

Pour réaliser l'esquisse de base, vous pouvez vous inspirer directement de la photographie ci-contre.

1 : Réalisez l'esquisse

Faites une ébauche de votre dessin en conservant une certaine liberté par rapport au modèle. En effet, point n'est besoin ici d'une grande exactitude, car le sujet représente un monde aquatique et mouvant. La souplesse dans le dessin, ainsi que dans la manière de poser la peinture, rendra donc bien mieux l'atmosphère.

Vous pouvez aussi reproduire à main levée, décalquer ou photocopier, en l'agrandissant si vous le souhaitez, l'ébauche que nous vous proposons ci-dessous.

VCL/Pix - a

2 : Peignez le fond

Passez ensuite à grands coups de pinceau, dans la partie supérieure du dessin, un fond chaud, c'est-à-dire une couleur de terre, ou un jaune mélangé à un rouge ou un violet.

Opérez de même avec la partie basse du motif, avec, cette fois, une couleur froide qui peut être un bleu outremer ou de caeruleum. Si vos deux couleurs se mélangent au niveau de la ligne d'horizon, ne vous inquiétez pas : cela n'a pas une réelle importance à cette étape du travail. Cela peut signifier que votre gouache est trop liquide.

Bon à savoir

La gouache possède l'avantage de pouvoir se travailler longtemps. Ne vous découragez pas : un dessin qui semble raté en milieu de séance peut, si vous persévérez, se révéler ensuite très réussi et devenir l'un de vos préférés.

Nous avons recadré cette vue en plan plus serré. ▼

❶

B.P. - b

❷

B.P. - c

Votre couleur doit être ▶
suffisamment liquide pour laisser
transparaître le dessin de l'île.

3 : Peignez le premier plan

Après avoir laissé sécher votre couleur de telle sorte qu'elle ait un aspect mat, diluez légèrement cette fois votre peinture pour obtenir une pâte fluide mais couvrante. Commencez par la couleur qui est la plus importante en surface : ici, c'est le noir des gondoles.

Vient ensuite le brun des piquets d'amarrage. Diluez davantage chacune de ces deux couleurs pour figurer les reflets des gondoles et des piquets dans l'eau. Faites des gestes amples et irréguliers pour mieux suggérer le mouvement de l'eau.

4 : Créez des contrastes

Toujours avec de la gouache opaque, ajoutez des détails sur des surfaces plus réduites.

Commencez avec la couleur qui offre le contraste de valeur le plus important avec le noir des bateaux : c'est le jaune de la proue.

Placez ensuite la couleur qui contrastera le plus avec le jaune : le rouge des bâtiments de San Giorgio.

C'est à partir de ces extrêmes de contraste de valeur et de couleur que votre peinture va maintenant pouvoir évoluer et se nuancer.

5 : Réalisez les finitions

La dernière phase du travail consiste à « pousser » la précision, comme dans les détails d'architecture de San Giorgio, les gondoles, les petites vagues, avec de la peinture opaque. Vous pouvez intensifier les effets de matière dans les piquets avec de la gouache pure.

À ce stade de votre dessin, il vous apparaîtra sans doute que les couleurs sont trop fortes, et les contrastes trop appuyés. Reprenez alors un pinceau chargé d'une couleur neutre, très légèrement, et de beaucoup d'eau, et passez-le en effleurant le papier aux endroits où les couleurs vous semblent trop « violentes ». N'ayez pas la crainte d'abîmer votre dessin : si vous effacez trop, il est toujours possible de revenir par-dessus une fois que la couleur a séché.

▲ Aux endroits où la peinture est la moins couvrante, le fond bleu donne des reflets au noir.

▲ En passant le rouge des bâtiments, veillez à ce que les détails au crayon soient assez visibles.

▲ On a estompé le noir en le remouillant, de telle sorte que la seconde gondole soit moins présente. Le bleu a été « cassé » avec du jaune de Naples. On a posé un lavis gris dans le ciel, pour mieux le faire passer à l'arrière-plan.

Astuce

Appliquer de petites touches de couleur vive non diluée permet de donner éclat et vie à une peinture qui semblerait trop mate. C'est une très bonne technique pour donner de la vie et de la profondeur à votre ouvrage.

Gouache et œuf

Avant la découverte de la peinture à l'huile, les peintres utilisaient de l'œuf comme médium pour leurs pigments broyés. C'est ce que l'on appelle la peinture à la détrempe.

Le procédé de la peinture à l'œuf connut son apogée au XIIIᵉ siècle. Les œuvres réalisées à la détrempe ont conservé jusqu'à nos jours une grande fraîcheur de coloris. Elles ont aussi prouvé leurs parfaites solidité et résistance au temps.

Contrairement à la peinture à l'huile, la détrempe sèche immédiatement en laissant un film plus ou moins transparent et satiné. Cela oblige à un travail rapide. La technique de travail ressemble à l'acrylique mais offre quelques possibilités supplémentaires, comme le grattage.

Mode d'emploi

Préparation de l'œuf

Cassez un œuf en deux et séparez le blanc du jaune, comme lorsque vous préparez un gâteau. Jetez le blanc et versez le jaune dans un petit verre en incisant la membrane qui l'enveloppe. Ajoutez quelques gouttes d'eau : c'est prêt.

Dilution de la couleur

Travaillez comme à votre habitude avec la gouache, mais, au lieu de diluer la couleur avec de l'eau, utilisez le mélange œuf-eau. Le grand pot d'eau ne vous sert ici qu'à nettoyer votre pinceau après chaque passage de couleur différente.

L'œuf donne du moelleux à la matière, il permet de superposer rapidement des couches transparentes sans que la couleur des fonds ne se mélange à la nouvelle. Cela donne l'opportunité de commencer à peindre très librement, sans presque aucun dessin préparatoire.

B. P. - c

▲ Ce portrait a été réalisé très spontanément, à la manière d'un croquis rapide. Notez que le rouge semi-transparent de la bouche a été posé sur un gris : il y a mélange optique des couleurs, mais pas des deux matières.

B. P. - a

▲ Ce dessin a été réalisé à la gouache très fluide.

B. P. - b

▲ Sur cet exemple, on a utilisé un mélange à l'œuf. Vous pouvez constater que la matière semble plus dense et les couleurs plus saturées.

Le matériel

Comme pour le travail à la gouache simple, vous avez besoin d'une palette ou d'une grande assiette blanche, dans laquelle vous disposerez vos couleurs de façon circulaire, d'un grand pot d'eau et de quelques pinceaux de tailles différentes.

B.P. - d

▲ Cet exemple montre une alternance de parties peintes très simplement en une couche (comme le mur jaune) et d'autres où se superposent cinq ou six couleurs (pour le sol).

Le grattage

Le mélange gouache et œuf, par sa texture souple et épaisse, permet d'utiliser avec profit la technique du grattage, et ce de deux façons bien distinctes :
• en grattant avec la pointe d'un cutter une peinture achevée, pour y faire réapparaître, par endroits, le blanc du papier (exemple en haut à droite) ;
• en superposant plusieurs couleurs de fond, puis en dessinant avec une pointe (exemple ci-contre). Pour cette technique, il est recommandé d'utiliser un papier aquarelle fort et lisse.

Gratter ▶ la couleur sèche avec un cutter ou la lame d'un rasoir pour faire réapparaître des blancs donne la possibilité d'ajouter des détails subtils tout en conservant une touche très libre. Le mélange gouache et œuf convient parfaitement à cette technique.

B.P. - e

◀ Réaliser le dessin en grattant avec une pointe sur une surface peinte donne un résultat très graphique.

B.P. - f

Exercice

Le point de départ de notre exercice est un croquis au crayon du lac de Garde, en Italie. Inspirez-vous-en pour réaliser une peinture à l'œuf, qui utilisera également les ressources du grattage.

Étape 1

Prenez une feuille de papier aquarelle épaisse et lisse, et recopiez à main levée le croquis que nous vous proposons.
Gardez la main souple et restez spontané. Ne vous préoccupez pas de restituer le dessin avec exactitude : vous compléterez les détails en cours de réalisation.

▲ Votre base de départ : un croquis au crayon du lac de Garde.

Astuce

Même les grattages ne sont pas définitifs ! Si vous n'êtes pas satisfait, vous pouvez continuer avec la peinture, recouvrir ce que vous avez gratté… et gratter de nouveau !

Étape 2

Peignez de façon large et généreuse, sans trop vous préoccuper du contour des éléments. Exagérez un peu le contraste des gris et des couleurs en début de réalisation, même si ça ne correspond pas au résultat final envisagé.
N'oubliez pas que, la matière séchant très vite, il vous est possible, quelques secondes plus tard, de poser un autre ton qui nuancera le précédent.

▲ La peinture en cours de réalisation : on a posé des tons francs et contrastés.

Étape 3

Lorsque vous estimez que votre étude est suffisamment poussée et sèche, sélectionnez des détails que vous voulez mettre en valeur et des zones où vous souhaitez ajouter davantage de relief. Grattez la matière avec la pointe d'un cutter et dégagez en blanc de fins détails que vous n'avez pas indiqués avec le pinceau : les tuiles, les fenêtres, l'intérieur de la barque, les reflets sur le lac...
Insistez davantage, avec le plat de la lame, sur les montagnes.

Gros plan

- Les tuiles sont simplement rendues par de très fines hachures, dans le sens de la pente.
- On a « doublé » le contour de la maison en grattant, ce qui lui donne ainsi plus de volume.
- De très fines hachures rehaussent aussi la présence des fenêtres.
- Du feuillage est figuré par des hachures en volutes.
- Son vert est mis en valeur par un ombrage noir.
- Le mouvement de l'eau et les reflets sont suggérés par des hachures en zigzag, qui se superposent au jeu des couleurs appliquées en couches successives.

▲ La peinture achevée : le gris des montagnes a été adouci, ce qui donne paradoxalement plus d'âpreté à la roche ; le ciel, nuancé, a pris du relief ; le blanc des maisons a été « cassé » avec une pointe de jaune ; les toitures grattées se fondent mieux dans l'ensemble, tout en gardant leur éclat contrasté ; les tons fondus du lac rendent les reflets et suggèrent la profondeur ; l'ombre de la barque, dont on a fouillé les détails, la fait paraître en mouvement.

L'aquarelle

L'aquarelle dans tous ses états

On trouve l'aquarelle sous trois formes : les godets, tubes et pigments, auxquels s'ajoutent les crayons et pastels aquarellables.

Les godets

Ils sont pratiques pour une utilisation à l'extérieur. On peut trouver diverses présentations suivant le fabricant : des godets ronds, rectangulaires, conditionnés dans des boîtes de diverses formes, etc. Les qualités et les prix sont variables. Pour les professionnels ou les « mordus », il existe des couleurs « extrafines » de très bonne qualité, stables dans le temps. Mais elles sont assez chères.

Pour les débutants ou les amateurs, il existe des godets à des prix nettement plus abordables. Mais attention aux boîtes très bon marché ! Elles sont souvent de qualité médiocre, car la force colorante de leur pigment est très faible.

▲ Les godets, les demi-godets et les pastilles sont adaptés aux divers besoins des usagers. Ils conviennent notamment pour une utilisation à l'extérieur.

Les tubes

Ils servent à la préparation de grandes quantités de mélange coloré. Ils sont semi-liquides et se diluent rapidement quand on les mélange sur une palette. Ce sont des couleurs de bonne qualité.

▲ Les tubes offrent des couleurs semi-liquides de qualité satisfaisante.

Les pigments pour aquarelle

C'est un moyen économique pour ceux qui ont de grandes surfaces à travailler. Ils servent à fabriquer sa propre aquarelle. Chacun fait plus ou moins sa « cuisine » et a ses petits secrets de composition.

Voici un exemple de recette pour une couleur : une part de pigment spécial aquarelle, une demi-part de gomme arabique, une part de miel ou de sucre liquide et quelques gouttes d'un agent conservateur.

Mélangez le tout avec une spatule et conservez ce mélange dans un récipient clos. On peut y ajouter de la glycérine pour augmenter la transparence de l'aquarelle. La gomme arabique se trouve prête à l'emploi ou sous forme de paillettes (à dissoudre dans de l'eau).

▲ Avec du pigment spécial aquarelle, de la gomme arabique, un peu de miel et un agent conservateur, on peut facilement fabriquer sa propre aquarelle.

Évitez le déssèchement

Pour éviter que vos couleurs ne s'assèchent, rebouchez systématiquement vos tubes après usage ou refermez le couvercle de votre boîte à godets. Ce petit geste vous évitera de gâcher vos aquarelles.

Crayons et pastels aquarellables

Ils apportent des éléments linéaires qui complètent l'aquarelle par leurs détails précis, incisifs et lumineux.

Les crayons

On les utilise secs pour mettre des détails en valeur. Ils peuvent servir pour réaliser un croquis de base, qui est ensuite rehaussé par des jus colorés. Dans la peinture humide, ils se dissolvent en partie. Cet effet peut être intéressant à exploiter.

Les pastels

Ils s'utilisent comme les crayons, mais conviennent moins bien pour les détails. En revanche, on peut les utiliser pour couvrir de plus grandes surfaces.

La technique mixte

Marier les diverses présentations permet un jeu d'effets intéressant. On tire de chacune le meilleur parti. Pas besoin de crayon graphite pour réaliser l'esquisse ! Utilisez le crayon aquarellable pour dessiner les contours. Avec les crayons pastels, mettez les valeurs en place puis, à l'aide de votre pinceau, mouillez les parties concernées. Les traits vont se dissoudre, et vous pourrez les transformer, en lavis colorés. Après séchage, reprenez certaines zones sous forme de hachures. Enfin, soulignez les détails importants avec la pointe de vos crayons.

Théo Sauer - d

◀ Les crayons aquarellables permettent de mettre en valeur des détails.

Théo Sauer - e

Les pastels ▲ aquarellables permettent de couvrir de plus vastes surfaces.

Théo Sauer - f

◀ Croquis réalisé en technique mixte (crayon, pastel, aquarelle).

Aqua... l'élément eau

Légère, lumineuse, imprévisible...
Ces qualités, qui font tout le charme
de l'aquarelle, sont liées à sa composante
essentielle : l'eau (*aqua*, en latin).

La transparence

L'utilisation de l'eau est omniprésente dans l'aquarelle. Elle est synonyme de transparence et de limpidité. Pour bien appréhender cette notion de transparence, il est nécessaire de comprendre cette technique. La feuille blanche, généralement utilisée comme support, a une importance capitale car elle remplace la couleur blanche utilisée dans d'autres techniques, telles que la gouache, la peinture à l'huile, l'acrylique.

Maîtriser le blanc

Plus la couleur est diluée avec de l'eau, plus elle laisse transparaître le blanc de la feuille : ce « mélange », que l'on peut qualifier d'« optique », n'est en fait qu'illusion. Mais c'est lui qui nous procure cette impression de légèreté inégalée, cette qualité vibratoire. C'est là que réside le défi de l'aquarelle : maîtriser le blanc.
Cette transparence va donc modifier la couleur. Prenons l'exemple du rouge : en ajoutant de l'eau, il se transforme en rose. La densité de ce rose va varier avec la quantité d'eau ajoutée, ce qui permet de réaliser de subtils dégradés.

Le rouge dilué dans l'eau permet d'obtenir du rose dont la densité varie selon la quantité d'eau.

Théo Sauer - a

Papiers

Il existe une grande variété de papiers aquarelle (pur chiffon, satiné, grain torchon, grain fin...) et de grammages (de 180 à 850 g/m²) dans le commerce. Vous apprendrez rapidement à choisir le papier le plus adapté à votre projet. Sachez néanmoins que plus le grammage est élevé, plus le papier est épais et cher ; en outre, les papiers chiffons sont plus résistants que les autres mais aussi plus onéreux et plus difficiles à travailler lorsque l'on débute, car leur grain est très prononcé.

Pas d'hésitation

En aquarelle, votre main doit diriger votre pinceau de la manière la plus sûre possible, même si vous débordez légèrement des zones qui sont prédessinées.

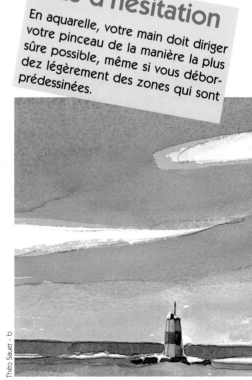

Dans ce ciel, que vous pouvez réaliser, ▶ les nuages sont suggérés par le blanc du papier. Remarquez aussi que vous obtenez un ciel plus ou moins dense grâce à un bleu plus ou moins dilué. C'est le mélange optique de la couleur et du blanc du papier.

Théo Sauer - b

Bien utiliser ses couleurs

À présent, vous allez tester les effets de la dilution d'une couleur avec l'eau et découvrir la richesse des tonalités d'une gamme.

Le matériel de base

- Des couleurs : godets ou tubes
- Une palette à godets
- Un pinceau moyen : n° 6 à n° 10
- Un gros pinceau : n° 16 à n° 20
- Deux récipients d'eau
- Du papier pour aquarelle
- Du papier absorbant
- Des feuilles blanches pour procéder à des essais

Préparer la couleur

Mouillez votre pinceau dans un récipient d'eau pure et déposez-le sur une pastille de couleur. Mélangez. Plus vous insisterez, plus il se chargera de couleur.
Déposez le mélange ainsi obtenu dans un des godets de la palette. Répétez l'opération si vous en désirez une plus grande quantité.

Éclaircir…

Pour éclaircir une couleur, il suffit d'ajouter de l'eau.
Testez toujours vos couleurs sur une feuille blanche. Rincez bien votre pinceau dans l'autre récipient prévu à cet effet.
Recommencez l'opération avec une autre couleur. Avec 2 couleurs, vous pouvez créer toute une série de tons intermédiaires. Procédez par tâtonnements et toujours avec de petites quantités de couleur.

L'eau

Ayez toujours de l'eau propre à portée de pinceau. Cela vous permettra d'éviter les mélanges malencontreux dans les godets ou d'altérer votre mélange avec un résidu de couleur dont votre pinceau était chargé. Deux récipients pour l'eau sont donc tout indiqués.

Théo Sauer - b

◀ Voici les éléments de base pour réussir votre aquarelle : une palette, deux récipients d'eau, des couleurs et un pinceau…

Théo Sauer - d

▲ Les tons intermédiaires entre le rouge et le jaune passent par l'orange du plus soutenu au plus clair.

Mélanges et superpositions

Pour mélanger les couleurs, vous pouvez préparer les mélanges à l'avance, dans les godets de la palette ou superposer les teintes directement sur le papier.

Mélanges en godets

Préparez des mélanges colorés avec les trois couleurs primaires : le rouge, le bleu, le jaune.
Prenez un peu de peinture jaune, déposez-la dans un godet vide. Prenez la même proportion de rouge, ajoutez le au jaune. Mélangez. N'oubliez pas de rincer votre pinceau entre deux opérations.

Recommencez avec le jaune et le bleu, enfin avec le rouge et le bleu.
Vous avez créé trois nouvelles teintes : orange, vert et violet. Ce sont les couleurs secondaires.

Orange

Violet

Vert

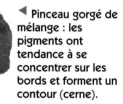

Théo Sauer - a

Vocabulaire

Couleur primaire : couleur ne pouvant être obtenue par le mélange d'autres couleurs. Il y en a trois : ce sont le rouge, le bleu et le jaune.

Couleur secondaire : couleur obtenue à partir du mélange de deux couleurs primaires : ce sont l'orange, le vert et le violet.

◀ Mélange de deux couleurs primaires.

◀ Pinceau gorgé de mélange : les pigments ont tendance à se concentrer sur les bords et forment un contour (cerne).

◀ Pinceau moyennement chargé : le résultat n'est pas uniforme car le séchage n'est pas régulier.

◀ Pinceau peu chargé : l'effet est parfaitement maîtrisé, le séchage est rapide et régulier.

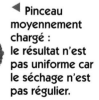

Pourquoi faut-il incliner la feuille ?

Il est conseillé, lorsque vous travaillez, d'incliner légèrement la feuille. Cette manipulation permet à votre teinte de se répartir régulièrement, évite que certaines zones ne soient plus mouillées que d'autres et empêche la formation de taches dues à une accumulation de mélange coloré sur certains endroits non contrôlables (creux formés par le papier qui gondole, par exemple).

Dans les parties qui sèchent lentement, le bleu a l'air de prendre le dessus en chassant le jaune.

Les cernes indésirables

Essayons de comprendre comment se forment les cernes ou autres taches indésirables. À cette fin, nous allons utiliser un mélange bleu-vert obtenu à partir de bleu et d'une pointe de jaune bien dilué (ou un mélange approchant). La feuille est posée bien à l'horizontale. Procédons à des essais avec le pinceau plus ou moins chargé de mélange coloré.

Théo Sauer - b, c, d

Bon à savoir

Les réactions sont variables en fonction des couleurs et des pigments utilisés.

Les couleurs superposées

À cause de la transparence des couleurs, il est impossible de recouvrir une couleur par une autre.En revanche, la superposition de deux couleurs va créer un mélange optique qui donnera naissance à une nouvelle couleur.

Le fait de superposer une troisième couleur sur le premier mélange obtenu ne fera qu'assombrir celui-ci, même si la dernière couleur est plus claire.

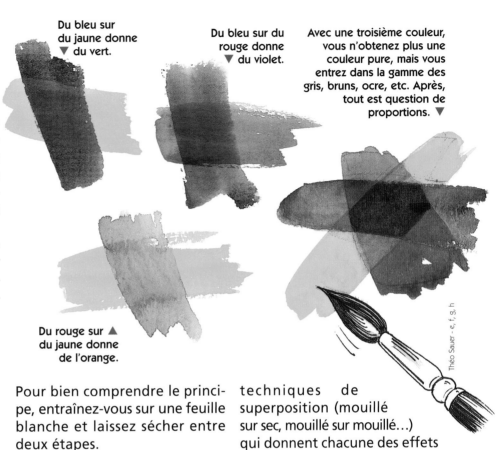

Du bleu sur du jaune donne ▼ du vert.

Du bleu sur du rouge donne ▼ du violet.

Avec une troisième couleur, vous n'obtenez plus une couleur pure, mais vous entrez dans la gamme des gris, bruns, ocre, etc. Après, tout est question de proportions. ▼

Du rouge sur ▲ du jaune donne de l'orange.

Théo Sauer - e, f, g, h

Astuce

Pour superposer une couleur à une autre, il faut essayer de l'appliquer rapidement, sans insister, de façon à éviter le mélange des deux teintes. Ne jamais repasser le pinceau deux fois sur la même surface.

Pour bien comprendre le principe, entraînez-vous sur une feuille blanche et laissez sécher entre deux étapes.

Par ailleurs il existe différentes techniques de superposition (mouillé sur sec, mouillé sur mouillé...) qui donnent chacune des effets différents.

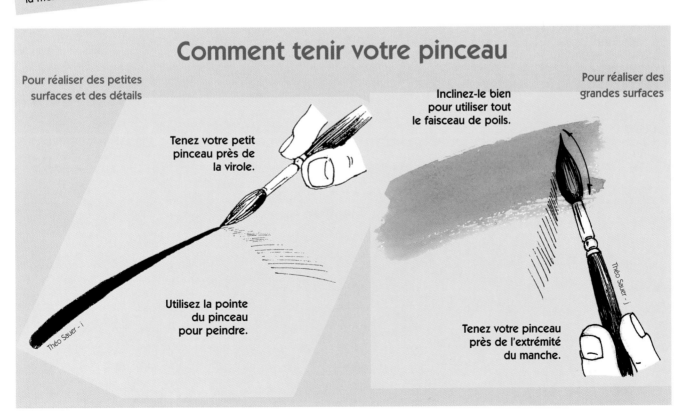

Comment tenir votre pinceau

Pour réaliser des petites surfaces et des détails

Tenez votre petit pinceau près de la virole.

Utilisez la pointe du pinceau pour peindre.

Inclinez-le bien pour utiliser tout le faisceau de poils.

Pour réaliser des grandes surfaces

Tenez votre pinceau près de l'extrémité du manche.

Théo Sauer - i

Théo Sauer - j

Le lavis dégradé

Le lavis dégradé consiste à utiliser une seule couleur en faisant varier son intensité. Il permet de donner de la profondeur à un ciel ou de réaliser certains fonds.

Vous avez appris à maîtriser la technique du lavis uniforme. Il fallait pour cela préparer une dilution de couleur et l'appliquer sur toute la surface. `
Dans la technique du dégradé, il s'agit de transformer le lavis de façon très régulière – sans accrocs, ni striures – pour obtenir une variation de la tonalité presque imperceptible.

L'eau, toujours...

Pour faire varier une couleur du sombre au clair, il faut ajouter de l'eau. Diluer celle-ci a pour but de la rendre transparente. Cette transparence n'est autre que le blanc du papier qui se mélange optiquement à la couleur en la transformant. Il va de soi que plus on ajoute d'eau, plus la teinte s'affaiblit, donc s'éclaircit. Il existe deux méthodes pour réussir un dégradé : sur fond sec ou sur fond humide. Tout dépend de votre sujet.

Sur fond sec

On optera pour cette première solution si l'on souhaite réaliser des dégradés sur de petites surfaces. Sur un papier sec, il faut travailler rapidement, avec méthode, afin d'éviter de légères imperfections.
Cette technique convient parfaitement pour peindre un ciel légèrement nuageux qui autorise de petites irrégularités.

Sur fond humide

On préférera cette méthode, qui permet plus d'homogénéité dans le rendu, pour représenter un beau ciel bleu. Pour réussir un dégradé très régulier, on humidifie légèrement la surface avec une éponge pour faciliter la répartition de la couleur.
Sur fond très humide, le lavis deviendra quasiment transparent.

Théo Sauer - a

▲ Lavis dégradé sur fond sec. On peut observer sur la feuille de petites irrégularités.

Théo Sauer - c

▲ Lavis dégradé sur fond peu humide. Plus d'homogénéité, de régularité, dans le rendu.

Théo Sauer - b

▲ Lavis dégradé sur fond très humide. La couleur se fond dans le blanc de la feuille.

À vous de jouer...

Réalisez un dégradé sur fond humide

Utilisez une cale pour incliner votre feuille de 10° à 20°, environ. Prenez votre gros pinceau et préparez, dans un des godets de la palette, une petite quantité de mélange coloré qui correspondra à la valeur la plus foncée de votre lavis.

Humidifiez votre surface avec une éponge. Trempez votre pinceau dans le mélange ainsi obtenu et commencez à appliquer votre couleur en partant en haut à gauche, vers la droite, de manière régulière (**A**).

Chevauchez le trait précédent. À mesure que votre pinceau se décharge, trempez-le dans l'eau pour éclaircir progressivement le ton (**B**).

Il s'agit de remplacer, au fur et à mesure, la couleur sur le pinceau par de l'eau pure. Le mélange « eau + couleur » se combine simultanément sur le pinceau et sur la feuille en une nouvelle teinte de plus en plus claire (**C**).

Travaillez avec méthode. Faites un aller et retour de pinceau sur la feuille, ajoutez une goutte d'eau en trempant légèrement la pointe du pinceau dans l'eau pure.

Refaites un aller et retour, reprenez de l'eau, etc.

Si vous désirez faire fondre votre dégradé dans le blanc de la feuille (**D**), le pinceau sera chargé uniquement avec de l'eau quand vous arriverez en bas de la surface à remplir (**E**).

A : le jaune est la valeur la plus foncée.

B : la progression est régulière.

Astuce

Pour suggérer des nuages floconneux sur un ciel bleu, laissez tomber quelques gouttes d'eau sur le dégradé lorsqu'il est encore légèrement humide. N'hésitez pas à faire des essais.

C : le blanc de la feuille transparaît de plus en plus.

Vocabulaire

Ton : aspect d'une couleur qui varie du sombre au clair.
Dégradé : teinte qui varie ou s'affaiblit progressivement du ton normal au blanc et du plus intense au plus clair.

D : le jaune se fond dans le blanc de la feuille.

Théo Sauer - d

E : le pinceau se décharge de jaune au fur et à mesure que l'on ajoute de l'eau.

Exercice

Le lavis dégradé s'avère une technique aussi simple qu'efficace pour réussir un ciel ou un fond de paysage.

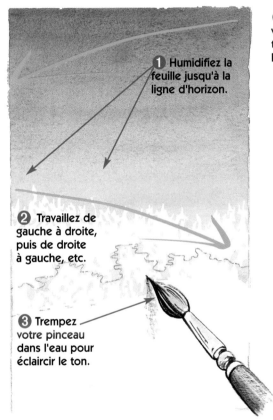

❶ Humidifiez la feuille jusqu'à la ligne d'horizon.

❷ Travaillez de gauche à droite, puis de droite à gauche, etc.

❸ Trempez votre pinceau dans l'eau pour éclaircir le ton.

Théo Sauer - a

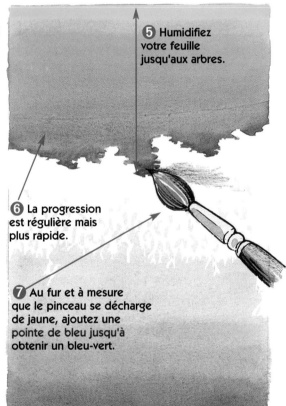

❹ Tournez votre feuille et travaillez dans l'autre sens.

❺ Humidifiez votre feuille jusqu'aux arbres.

❻ La progression est régulière mais plus rapide.

❼ Au fur et à mesure que le pinceau se décharge de jaune, ajoutez une pointe de bleu jusqu'à obtenir un bleu-vert.

Théo Sauer - b

Commencez par le ciel

❶ Reproduisez le crayonné suivant le modèle ci-dessus.

❷ Commencez par humidifier le ciel avec une éponge jusqu'au niveau des arbres et de la ligne d'horizon. Le papier sera humide, sans excès.

❸ Étalez, rapidement, un lavis de bleu de cobalt sur le haut du ciel.

❹ Au fur et à mesure que vous ajouterez de l'eau en descendant vers la ligne d'horizon, votre lavis s'éclaircira. Laissez sécher.

Réalisez le premier plan

Pour le premier plan, préparez une petite quantité de jaune indien, puis préparez une plus grande quantité de bleu de cobalt dans un autre godet.

❺ Commencez par le jaune. Pour cela, tournez votre feuille dans l'autre sens.

❻ Humidifiez votre zone avec une éponge.

Chargez votre pinceau de jaune et faites un ou deux aller et retour.

❼ Puis trempez très légèrement la pointe de votre pinceau dans le bleu. Chevauchez légèrement le jaune en faisant quelques aller et retour pour bien mélanger la nouvelle teinte.

Renouvelez l'opération. Peu à peu, le jaune se transforme en vert clair, en vert, puis en bleu-vert. Laissez sécher. Par ces deux dégradés, nous avons réalisé un fond qui pourrait être agrémenté d'arbres ou de maisons... À vous d'imaginer le reste.

La profondeur du ciel est parfaitement rendue avec ce simple lavis dégradé.

Le fait d'éclaircir le ciel vers la ligne d'horizon attire le regard dans cette direction.

Plus on ajoute de bleu dans une teinte, plus on obtient une impression de profondeur, d'éloignement.

En revanche, le jaune ramène le regard au premier plan de par son intensité lumineuse.

Théo Sauer - d

la technique mixte

En essayant de jouer sur le degré d'humidité de la feuille, en retravaillant par-dessus en technique sèche, par superpositions, par mélanges sur certaines zones, vous découvrirez les possibilités infinies de l'aquarelle, comme en témoigne l'exemple de paysage ci-dessous, réalisé en technique mixte.

Technique sèche → Technique mixte ← Technique humide

↓

La base de la peinture aquarelle

Exemple de paysage réalisé en technique mixte

L'astuce consiste à gratter dans la peinture humide avec le manche du pinceau pour suggérer un effet de pluie dans le ciel.

Avec cette même technique, on peut réaliser les branches des sapins perdus dans le brouillard.

La partie principale (les trois quarts supérieurs du tableau) est travaillée en technique humide. Le ciel est rendu par un dégradé (bleu-violet).

On termine par les détails (superposition) une fois la peinture sèche.

On remarquera la différence de réaction du vert (au premier plan) sur une surface humide et sèche.

Théo Sauer - c

L'acrylique

Découverte de l'acrylique

La peinture acrylique est la matière picturale dont l'exploitation artistique est la plus récente. Elle permet de très nombreuses et intéressantes applications.

Les artistes n'ont commencé à employer la peinture acrylique que dans les années 1950.

Si l'acrylique ressemble beaucoup dans son aspect à la peinture à l'huile, pour ce qui est de la vitesse de séchage, elle s'apparente plutôt à la gouache. C'est là, en effet, une caractéristique qu'on peut juger positive ou non, suivant le point de vue où on se place.

Le matériel

La peinture à l'acrylique ne nécessite pas un matériel très important.

Une base de 10 à 15 couleurs vous suffira avec, éventuellement, un tube de médium et du retardateur de séchage. Ajoutez à cela une palette et quelques pinceaux.

Les couleurs

Vous pourrez trouver dans le commerce la peinture sous différents conditionnements : des tubes petits, moyens ou gros ainsi que des pots ou des bidons en plastique, soit des contenances de 20 ml à 400 ml. Chaque fabricant propose de nos jours une gamme réduite à bas prix spécialement conçue pour les débutants : n'hésitez pas à vous la procurer.

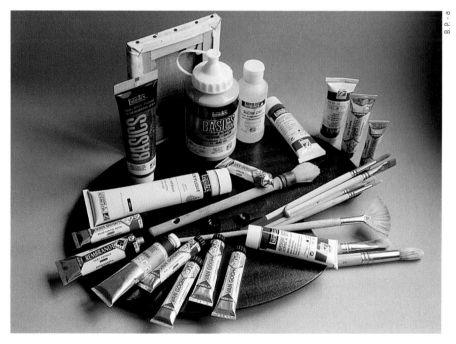

▲ Le matériel.

Palette et pinceaux

L'idéal est d'utiliser une palette qui ne soit pas absorbante, une « vraie » palette de peintre ovale ou une simple planchette recouverte d'un vernis ou stratifiée, ou encore une grande assiette. Quant aux pinceaux, on peut vous recommander d'en acquérir une dizaine de différentes tailles en soies de porc, carrés et ronds, ainsi que quelques pinceaux doux ; ils devront avoir de longs manches, contrairement à ceux que l'on utilise pour l'aquarelle ou la gouache.

Les couleurs

Voici la gamme de couleurs que l'on peut vous conseiller :
- jaune de cadmium clair ;
- jaune d'or ;
- rouge de cadmium clair ;
- rouge de cadmium moyen ;
- rouge carmin ;
- bleu outremer ;
- bleu céruléum ;
- bleu de cobalt ;
- vert de Hooker ;
- bleu turquoise ;
- terre de Sienne naturelle ;
- terre de Sienne brûlée ;
- terre d'ombre brûlée ;
- noir de mars ;
- blanc de titane.

S'installer pour peindre

Avant de commencer à peindre, il est important que vous soyez confortablement installé. Voici quelques suggestions et recommandations...

Sur une table

Vous pouvez travailler assis à une table pour un travail de petite dimension sur papier. N'hésitez pas, cependant, à vous lever régulièrement pour pouvoir prendre du recul.

Avec un chevalet

Si vous disposez d'un chevalet, vous pouvez fixer votre feuille sur une planchette ou un carton à dessin, mais aussi peindre sur toile. Vous pouvez être debout ou assis, en prenant la longueur de votre bras comme distance de référence minimum entre vous et la toile.

Sur une chaise

Si votre toile n'est pas trop grande, vous pouvez vous servir du dossier d'une chaise pour la faire tenir droite et de l'assise pour poser votre palette. Vous aurez toujours le regard surplombant votre œuvre, et la palette à portée de pinceau.

Sur le mur

Pour peindre une toile ou un papier de grande dimension, n'hésitez pas à punaiser votre feuille contre un mur après avoir protégé celui-ci ; vous pourrez ainsi prendre le recul nécessaire (vous pourrez même évaluer votre œuvre à l'autre bout de la pièce), tout en encombrant l'espace de l'atelier au minimum.

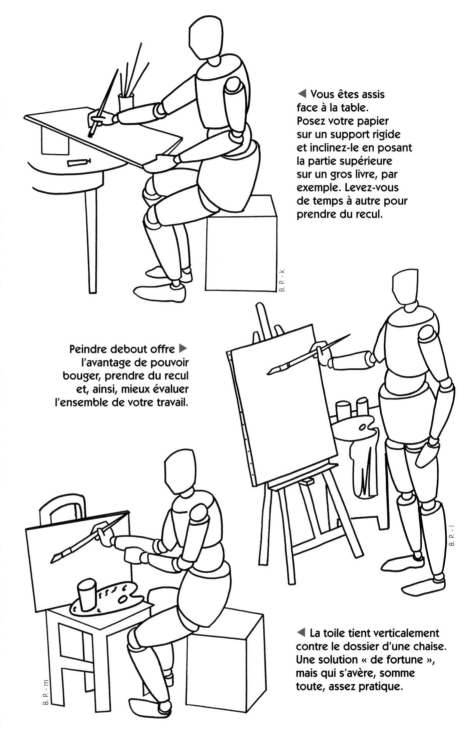

◀ Vous êtes assis face à la table. Posez votre papier sur un support rigide et inclinez-le en posant la partie supérieure sur un gros livre, par exemple. Levez-vous de temps à autre pour prendre du recul.

Peindre debout offre ▶ l'avantage de pouvoir bouger, prendre du recul et, ainsi, mieux évaluer l'ensemble de votre travail.

◀ La toile tient verticalement contre le dossier d'une chaise. Une solution « de fortune », mais qui s'avère, somme toute, assez pratique.

Astuces

D'un point de vue pratique, lorsque vous peignez à l'acrylique, il est indispensable :
• de maintenir ses pinceaux toujours propres et humides en cours de travail ;
• d'avoir à portée de main un chiffon pour ôter l'excédent d'eau des pinceaux avant de mélanger les couleurs ;
• de ne pas poser de trop grandes quantités de couleurs sur la palette car elles sécheront avant d'avoir été entièrement utilisées.

Travailler les effets

L'acrylique vous offre une gamme étendue d'effets picturaux, qu'il est indispensable de rechercher afin de pallier une relative « sécheresse » de la matière lorsqu'elle sort du tube.

Une alternance de glacis (passages de peinture transparente superposés) et d'empâtements est rendue possible facilement grâce à la rapidité de séchage de l'acrylique.

Les glacis

Le passage de glacis est grandement facilité si on mélange à la peinture une part plus ou moins importante de médium. En effet, une faible quantité de peinture mélangée à beaucoup d'eau, outre qu'elle ne facilite pas la solidité finale de l'œuvre, ne permet pas d'obtenir un aspect aussi satisfaisant à l'œil. Il

Rouge vermillon passé en couche transparente.

Bleu outremer + médium, avec une brosse douce.

La couleur pure passée en couche transparente.	En glacis + ombre brûlée.	En glacis + outremer.

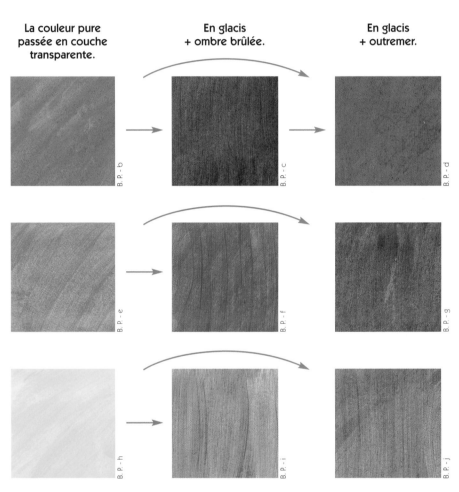

B.P.-b   B.P.-c   B.P.-d

B.P.-e   B.P.-f   B.P.-g

B.P.-h   B.P.-i   B.P.-j

▲ La couleur appliquée en glacis offre des nuances beaucoup plus profondes et intéressantes que si l'on se contente de mélanger les couleurs en une même pâte.

existe également des médiums spécialement conçus pour rendre les peintures beaucoup plus compactes et qui facilitent les empâtements importants.

Le séchage

La rapidité de séchage de l'acrylique peut être en partie contrée en utilisant du retardateur (jamais plus de quelques gouttes). Cela peut être très utile, par exemple, si vous travaillez une surface importante et que vous désirez que la couche inférieure se mélange en partie à celle que vous êtes en train de poser. C'est ce que l'on appelle, dans le jargon artistique, « travailler dans le frais ».

B.P.-a

Les supports

Avec l'acrylique, on peut peindre sur pratiquement tout : la toile tendue, le carton, le papier, le bois, l'Isorel, le ciment, etc. Seules exceptions : les surfaces ayant reçu une couche huileuse. Il n'est pas absolument nécessaire de passer une couche de base sur ces supports, seuls ceux très lisses, comme l'Isorel, peuvent être légèrement poncés avant l'ébauche de l'œuvre.

La matière

Vous rencontrerez sous vos pinceaux de multiples matières ! Avant de vous lancer, n'hésitez pas à faire des essais en vous amusant. Rien n'interdit, bien sûr, de combiner les effets de matières, en jouant des pinceaux et du temps de séchage. Nous poursuivrons notre exploration et étudierons comment obtenir au mieux les effets recherchés.

Passage de peinture très diluée.

Aplat opaque.

Résultat obtenu avec un pinceau doux.

... avec une brosse en soies de porc.

Mélange de deux couleurs à même le papier.

Passage d'un glacis jaune sur un fond rouge déjà sec.

Glacis vert sur un motif composé de taches rouges et jaunes.

Glacis vert sur un motif opaque.

Glacis ocre jaune.

Une technique rapide

La peinture à l'huile peut mettre plusieurs jours à sécher, suivant l'épaisseur de la matière que l'on a déposée, et il faut adapter sa façon de travailler en fonction de cette caractéristique. En revanche, la peinture acrylique, qui sèche en quelques minutes, offre la possibilité de travailler plus vite en superposant plusieurs couches dans une même séance de travail. Car la peinture est par définition un art qui rend possible une expression qui s'affine et se développe au cours du temps. Il n'y a donc pas de règle : une œuvre peut être réalisée en un jour comme en cinq ans !

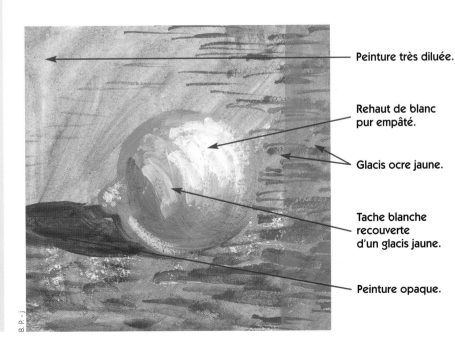

Peinture très diluée.

Rehaut de blanc pur empâté.

Glacis ocre jaune.

Tache blanche recouverte d'un glacis jaune.

Peinture opaque.

Maîtriser la matière en acrylique

En acrylique, tout est affaire de matière. Étudions par l'exemple les divers effets possibles et la façon la plus simple de les réussir.

Pour découvrir la façon dont vous tirerez le plus de plaisir de l'usage de l'acrylique, le plus simple est de tester divers effets.

Le modèle en quatre étapes

Pour commencer, il est bon de choisir un sujet extrêmement simple. Ici, il s'agit de deux cerises posées sur une table.

❶ On les dessine grandeur nature afin d'être au plus près de ce que la matière de l'acrylique peut proposer. On a posé sur la palette un peu de jaune.

Avec un gros pinceau rond à poils souples fortement imbibé d'eau, on mélange la couleur de façon à la rendre très liquide et transparente. On étale ensuite cette dernière sur toute la surface du dessin, sans se préoccuper des contours du motif.

❷ On attend quelques minutes pour que la peinture sèche bien. Pour peindre les queues, on a utilisé de la terre de Sienne naturelle avec un petit pinceau presque sec. Les cerises mêmes, quant à elles, seront peintes avec un rouge moyennement dilué.

❸ Un carmin peu dilué (cette couleur est naturellement transparente) est choisi afin d'ombrer la partie des fruits non exposée à la lumière directe.
Un blanc pur non dilué restitue les zones de lumières.

❹ Pour accentuer l'impression de matière, on prend maintenant un petit pinceau presque sec, qu'on trempe successivement dans le carmin et le blanc, mais sans mélanger ces couleurs sur la palette. Enfin, avec la pointe du pinceau, de la terre d'ombre brûlée ou un mélange de bleu et de rouge, on ajoute une petite ombre sur les queues de ces cerises si appétissantes.

▲ Le motif est dessiné au crayon de papier 2B. Veillez à ce que les cerises demeurent visibles.

▲ Très peu de vert est ajouté au rouge pour créer les ombres portées des cerises.

▲ À ce stade, les zones d'ombre et de lumière commencent à apparaître clairement.

▲ Il faut appliquer la peinture en plusieurs gestes circulaires, sans mélanger les couleurs.

Deux versions pour un paysage

Voyons à présent ce que peut donner un même paysage travaillé de deux façons différentes : avec de la peinture acrylique fluide et avec de la peinture acrylique épaisse.

❶ Version peinture fluide

Elle se travaille d'une main souple et d'un pinceau léger, à la façon de l'aquarelle. Il faut ajouter l'eau avec précaution, petit à petit, en testant les mélanges sur un papier libre. Le paysage est d'abord esquissé au crayon de papier très sommairement. La peinture a été passée sans prêter une grande attention aux contours.
L'impression de matière est donnée par le grain du papier que l'on découvre par transparence. Seul le rocher du premier plan a reçu un empattement blanc.

❷ Version peinture épaisse

Plusieurs passages sont nécessaires pour obtenir les effets désirés ; c'est en effet par les superpositions que sont créés les effets de contrastes, ainsi que les plus riches nuances. Seule l'eau, matière transparente, utilise le blanc du papier sous le glacis (passage de peinture transparente) outremer. Chaque partie du paysage est travaillée par alternance de passages de peinture transparente et d'empâtements opaques. Les forts empâtements suggérant les fleurs ont été posés alors que la couche de jaune n'était pas encore sèche. Cela permet de les intégrer et de les faire mieux vibrer.

Il suffit de revenir avec du jaune transparent sur le bleu du ciel qui a débordé pour verdir la montagne.

À certains endroits, le blanc du papier est encore visible.

Les ombres sont colorées : on a superposé des couches transparentes de carmin, d'outremer et d'ombre brûlée.

On a peint le ciel en mélangeant du blanc et de l'outremer, à même le papier et en ne les diluant presque pas. Cela a pour effet de créer des nuages souples.

Le plus fort contraste se situe au premier plan, ce qui a pour effet optique de faire reculer le reste de la composition.

Exercice

Une visite au port de Marseille va vous donner l'occasion de tester les différentes matières en acrylique, à partir d'une esquisse.

Cette réalisation d'une peinture sur papier fait intervenir les différentes matières que l'on peut obtenir à l'acrylique, comme le lavis coloré (peinture très diluée), les peintures en matière avec du médium (liquide – huile, essence, etc. – servant à détremper les couleurs), les empâtements. Le point de départ est le port de Marseille, le soir.

Astuce

Essayez de vous sentir libre en gardant à l'esprit que tout ce que vous faites n'est jamais définitif et que la rapidité de séchage de l'acrylique vous permet d'améliorer constamment votre travail.

1 : L'esquisse

L'esquisse de la composition est tracée à grands traits sans réel souci des détails, lesquels seront recouverts par la peinture. Si vous le souhaitez, décalquez-en les grandes lignes, pour finaliser à main levée.

Le matériel

- Un crayon 2 B pour l'esquisse ;
- une gomme ;
- un pinceau moyen ;
- un papier à fort grain ;
- du médium ;
- une feuille de brouillon ;
- un chiffon ;
- les couleurs de peinture acrylique : bleu outremer, terre de Sienne, jaune, rouge de cadmium, vert phatlo, terre d'ombre brûlée, blanc de Naples ;
- de l'eau pour diluer la peinture et nettoyer le pinceau.

Le papier utilisé a un fort grain, ▼ qui s'apparente à la texture de la toile.

▲ Les ombres sont déterminées de façon tranchée.

Avec de la peinture très liquide, ▶ donnez l'ambiance colorée générale de la peinture, en ne vous attardant pas sur les contours exacts des éléments.

2 : Premier passage à la peinture liquide

Les six couleurs choisies (plus le blanc) forment autant de fonds sur lesquels les détails de la composition vont pouvoir ressortir. Il s'agit de donner déjà une tonalité à la peinture. Mais les teintes seront retravaillées par les passages successifs. Ayez la main légère !

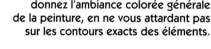

▲ Le dessin reste parfaitement visible sous les couches de peinture transparente.

3 : Second passage à la peinture moins diluée

On crée ici les contrastes. Gardez ce principe clairement à l'esprit : ne pas utiliser de noir, ni directement une couleur très foncée pour les parties sombres. Vous allez les foncer par superposition de couleurs transparentes (glacis). Vous obtiendrez ainsi des tons beaucoup plus chauds et nuancés. À cette étape, on place les parties claires du paysage : le pouvoir couvrant de l'acrylique permet d'éclaircir certaines zones du dessin avec de la couleur très peu diluée.

4 : Ajout des empâtements

Cette étape de finition vous permet de mettre en valeur les éléments que vous souhaitez, d'accentuer les contrastes et la profondeur, en un mot, de donner de la vie à votre peinture. Avec du médium, la masse de la colline peut être fondue avec une couleur plus froide que la terre de Sienne qui a servi pour le fond. Cela aura pour effets de faire « reculer » l'arrière-plan et mieux ressortir ce qui est important (le quai et l'église), tout en conservant un aspect très en matière. Pour les empâtements, travaillez avec de la peinture très peu diluée. Rappelez-vous que, l'acrylique séchant très vite, vous pouvez repasser de la couleur pour modifier une teinte qui ne vous plairait pas ou rectifier un contour qui ne vous semblerait pas net.

Avec de la peinture acrylique très peu diluée, indiquez les parties claires du dessin.

On a utilisé ici de l'outremer, puis du rouge de cadmium.

Les parties sombres sont indiquées de façon un peu brutale de manière à former un contrepoint aux lumières blanches ou colorées.

On a utilisé ici du vert phatlo, puis de la terre d'ombre brûlée.

La couleur plus neutre du ciel a pour but de mettre davantage en valeur la peinture éclatante du bateau de pêche.

Quelques petites touches de peinture suffisent à donner une impression d'urbanisation, sans qu'il soit besoin de représenter précisément tous les immeubles et toutes les fenêtres.

L'accent est mis sur le personnage du marin, plutôt que sur les objets que contient le bateau, simplement esquissés.

La forme du bateau est plus clairement définie.

À l'aide du blanc de Naples et de beaucoup de médium, l'ombre trop tranchée peut être adoucie.

La peinture à l'huile

Initiation à la peinture à l'huile

Nous allons commencer par faire connaissance avec cette technique, relativement récente, si l'on se réfère à l'histoire de la peinture.

Ce n'est pas une figure de style que d'affirmer qu'il existe des centaines de « recettes » pour la préparation de l'huile et de ses diluants. Toutes offrent des différences notables d'aspect et de sensation dans le travail. Notre propos est ici de vous présenter le matériel et de vous préparer au premier contact avec la peinture à l'huile, qui est d'un usage simple si l'on s'en tient à la base.

Un peu d'histoire

Si on a pu retrouver quelques mentions d'une utilisation de l'huile comme liant de la couleur avant le XVe siècle, il est largement admis que c'est Jan Van Eyck (v. 1390-1440) qui a mis au point la première chimie complète de cette technique et l'a appliquée. Avant lui, en effet, les tentatives d'utilisation de l'huile étaient associées à la peinture à l'œuf : les dernières couches de glacis étaient parfois exécutées à l'aide de pigments liés avec l'huile. Pourtant, si on sait que c'est Van Eyck qui est le précurseur de la technique de l'huile, on ne connaît toujours pas avec certitude la recette qui a pu lui permettre de nous faire parvenir ses œuvres avec une incroyable fraîcheur de conservation. Seule chose à peu près acquise : il devait utiliser une essence volatile comme diluant.

Une bonne gamme de base

Jaune de cadmium clair

Jaune de cadmium citron

Jaune de Naples

Rouge de cadmium clair ou vermillonné

Rouge de cadmium moyen

Laque de garance ou carmin de garance

Bleu outremer

Bleu céruléum

Bleu de cobalt

Vert émeraude

Bleu turquoise

Terre de Sienne naturelle

Terre de Sienne brûlée

Ombre brûlée

Noir de mars

Blanc de titane

B.P. - dàs

Caractéristiques

Le pigment coloré est ici aggloméré par une huile. Pour que celle-ci ne reste pas poisseuse, il faut la rendre siccative (apte à sécher) : on peut la faire chauffer et lui adjoindre ensuite une résine, ou utiliser une huile naturellement siccative, comme, par exemple, l'huile de lin. Puis, pour faciliter l'étalement de cette « pâte », on peut la diluer avec une essence qui s'évapore rapidement et permet à la peinture de sécher.

Contrairement aux autres procédés de peinture comme la gouache ou l'aquarelle, la peinture à l'huile ne sèche pas par absorption du support ou évaporation de son véhicule, mais par oxydation de l'huile en un film solide qui, une fois sec, ne peut plus être remanié. Et c'est cette découverte qui, au XIVe siècle, a semblé capitale et a entraîné la propagation du procédé d'abord en Italie du Nord – particulièrement à Venise –, puis dans le reste de l'Europe.

En outre, contrairement à la peinture à l'œuf, qui était alors en vigueur, l'huile permet de travailler durant plusieurs heures sans que la peinture ne « prenne ». Elle offrait ainsi aux artistes de nouvelles perspectives plastiques.

Le matériel

Les supports

La toile préparée et tendue sur un châssis de bois est le support le plus commun de la peinture à l'huile. Il en existe d'autres : le panneau de bois, l'Isorel, le carton préparé, le papier, le métal, le verre, l'ardoise... et même le marbre !

Les couleurs

Tous les fabriquants offrent une gamme de tubes et de pots bon marché qui s'avèrent d'une qualité suffisante pour une première approche. Les tubes ont des contenances variant de 40 ml à 350 ml ; celle des pots est de 1 kg. Les tubes de 60 ml sont une bonne base.

Si votre fournisseur ne propose pas de gamme « étudiant », il est important de savoir que les couleurs sont classées en « séries », qui correspondent à la qualité et à la rareté de leur pigment, d'où d'importantes variations de prix. La 1re série est la meilleur marché (noir, blanc, couleurs terre), tandis que la 8e série est la plus chère (certains rouges, bleus, violets à pigments rares). Il existe dans les séries 2 et 3 des pigments « imitation » qui remplacent ceux presque inaccessibles de la 8e série.

▲ Les couleurs à l'huile se présentent soit sous forme de tubes, de contenance variée, soit sous forme de pots de 1 kg.

Accessoires indispensables

Outre vos couleurs, vous aurez besoin : d'une palette, qui peut être une simple planche recouverte de stratifié ou une feuille de papier ; de pinceaux en soies de porc (ronds, carrés), ainsi que de pinceaux souples ; de bocaux ; de chiffons ; d'essence de térébenthine et de white-spirit.

▲ L'essence de térébenthine va servir à diluer votre peinture. Elle est issue de la distillation de la résine de pin. Quant au white-spirit, qui est un distillat de pétrole, il va servir à nettoyer vos pinceaux en cours de travail.

▲ Munissez-vous d'un choix de pinceaux assez étendu.

Exercice

Commençons par tester l'huile en procédant à quelques essais. Exercez-vous à manipuler la matière sans désir de figurer quoi que ce soit : cela vous apportera une première base.

Préparez votre matériel...

Installez-vous à une table.
Placez vos couleurs sur votre palette : dix à quinze suffisent largement.
Placez près de la palette un pot de white-spirit, un autre de térébenthine et un bon chiffon.
Travaillez sur une feuille de papier, que vous aurez simplement pris soin de couvrir d'une couche de gomme-laque afin d'éviter que le papier ne boive trop l'huile.
Si vous disposez de peinture acrylique, une fine couche peut tout aussi bien servir d'isolant. Il existe également dans le commerce du « papier toilé » sur lequel on peut peindre directement. C'est celui que nous avons utilisé pour les exemples qui vont suivre.

Testez !

Pour vous familiariser avec cette peinture, essayez de faire des combinaisons de couleurs, en superposant les couches, en variant la consistance, le mode d'application ou le temps entre les poses.
Pour vous guider dans vos essais, nous vous proposons quelques exemples, accompagnés de la marche à suivre.

❶

B. P. - a

◄ Essai n° 1
Le rouge a été passé en jus très « aquarellé », avec un pinceau doux. On a laissé séché 24 heures, puis on a tracé la ligne jaune en « glacis », c'est-à-dire avec un jus transparent.

❷

B. P. - b

Essai n° 2 ►
Le rouge a été passé avec une matière plus compacte et une brosse en soies de porc. Le glacis jaune est lui aussi un peu plus consistant.

❸

B. P. - c

◄ Essai n° 3
On a mis du rouge vermillon et du bleu de cobalt sur une brosse sans les mélanger sur la palette, et on a tracé la forme directement sur la feuille : à certains endroits, la matière est épaisse, tandis qu'à d'autres elle est transparente.

❹

B.P. - d

◄ Essai n° 4

On a mis du bleu de cobalt et du jaune de Naples sur le pinceau, que l'on a ensuite trempé dans la térébenthine : la couleur se mélange de manière fluide sur le support.

❺

B.P. - e

Essai n° 5 ►

Les mêmes couleurs (bleu de cobalt et jaune de Naples) ont été mélangées « à sec » sur le papier, avec une brosse dure : cela crée de subtiles nuances.

❻

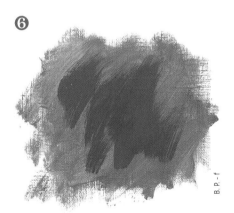

B.P. - f

◄ Essai n° 6

Sur le même mélange que le précédent, on a posé un ocre jaune à l'aide d'un pinceau doux et souple, par petites touches de peinture assez diluée avec de l'essence de térébenthine : la couche supérieure, bien que posée sur des couleurs fraîches, ne se mélange pas avec ces dernières.

❼

B.P. - g

Essai n° 7 ►

Dans cet exemple, on peut constater qu'il n'est pas indispensable d'avoir du noir sur sa palette : en mélangeant du bleu outremer et de la terre d'ombre brûlée, on obtient un noir subtil et plus ou moins chaud ou froid en fonction de la proportion de chaque couleur. Vous pouvez opérer de même avec de la laque de garance et du vert émeraude.

Soignez vos pinceaux !

Il est important de bien nettoyer les pinceaux après chaque séance de travail !

Voici une méthode simple et rapide :

- nettoyez vos pinceaux avec du white-spirit et essorez-les avec un chiffon ;
- remplissez d'eau un bocal et mettez-y un peu de lessive et vos pinceaux ;
- agitez bien et laissez reposer quelques minutes ;
- videz le bocal, puis lavez chaque pinceau un par un, en le frottant sur un gros savon de Marseille jusqu'à ce qu'il n'y ait plus trace de couleur ;
- rincez abondamment.

Variez les essais !

Les essais que nous vous avons proposés ne sont, bien entendu, que des exemples parmi de nombreux autres possibles. Expérimentez vos propres combinaisons de couleurs, en exploitant toutes celles dont vous disposez. Diversifiez, comme nous vous l'avons montré, les manières d'appliquer les couleurs , « à sec » ou diluées avec l'essence de térébenthine. De cette façon, vous allez acquérir les bases de la peinture à l'huile.

Préparation de la gomme-laque

Dans une bouteille, mélangez sept parts d'alcool à vernir (que l'on trouve chez les droguistes) pour une part de gomme-laque. Ce mélange peut également vous servir de fixatif (à projeter avec un vaporisateur-fixateur) pour vos dessins au pastel ou au fusain.

Toile et châssis

Poursuivons notre découverte de la peinture à l'huile en étudiant son support privilégié : la toile tendue. Choisir ou, mieux encore, fabriquer sa toile suppose en effet quelques connaissances de base.

La peinture à l'huile a pour support privilégié la toile tendue. À cela plusieurs raisons...

De l'œuf à l'huile...

Avant l'utilisation de la peinture à l'huile, les artistes travaillaient à la peinture à l'œuf, et dans la mesure où la couche picturale demeurait fragile, le support devait être rigide : on utilisait donc des panneaux de bois, difficiles à transporter, chers et relativement lourds.

Avec l'avènement de la peinture à l'huile se profilent de nouvelles possibilités : la couche picturale conserve, une fois sèche, une relative souplesse, ce qui autorise l'emploi d'un support plus fin et léger, comme la toile. Il en découle que les formats des œuvres peuvent être plus grands et, surtout, qu'il est possible de les transporter plus facilement, tout simplement en déclouant la toile de son châssis, en la roulant (avec précaution) et en la tendant de nouveau dans un autre lieu.

Les châssis

De nos jours, on trouve facilement dans le commerce des toiles à peindre tendues et déjà préparées. Il est aussi possible d'acheter les châssis nus et de tendre soi-même la toile.

Le format des châssis est codifié et standardisé sous trois appellations : figure, paysage et marine ; le premier étant le plus « carré » et le troisième le plus « allongé ». À cela s'ajoute une numérotation spécifique correspondant à la taille de la toile. Par exemple, au lieu de dire « une toile de 100 x 81 », on dira « un 40 F » (le passage du féminin au masculin s'explique par le mot « format » que l'on sous-entend).

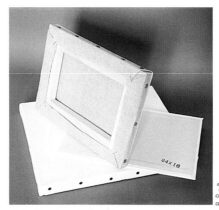
▲ Toiles à peindre tendues et préparées.

▲ Châssis prêts à recevoir la toile tendue.

Formats des tableaux

Vous pouvez y ajouter, par ordre décroissant, ceux que l'on trouve plus rarement dans le commerce : les formats carré (30 cm x 30 cm, par exemple), double carré (par exemple, 60 cm x 30 cm), triple carré (par exemple, 150 cm x 50 cm), rond et ovale. Si, avec tout cela, vous ne trouvez pas votre bonheur, il vous reste la commande sur mesure !

N°	FIGURE	PAYSAGE	MARINE
0	18 x 14	18 x 12	18 x 10
1	22 x 16	22 x 14	22 x 12
2	24 x 19	24 x 16	24 x 14
3	27 x 22	27 x 19	27 x 16
4	33 x 24	33 x 22	33 x 19
5	35 x 27	35 x 24	35 x 22
6	41 x 33	41 x 27	41 x 24
8	46 x 38	46 x 33	46 x 27
9	50 x 40	50 x 35	50 x 30
10	55 x 46	55 x 38	55 x 33
12	61 x 50	61 x 46	61 x 38
15	65 x 54	65 x 50	65 x 46
20	73 x 60	73 x 54	73 x 50
25	81 x 65	81 x 60	81 x 54
30	92 x 73	92 x 65	92 x 60
40	100 x 81	100 x 73	100 x 65
50	116 x 89	116 x 81	116 x 73
60	130 x 97	130 x 89	130 x 81
80	146 x 114	146 x 97	146 x 89
100	162 x 130	162 x 114	162 x 97
120	195 x 130	195 x 114	195 x 97

Les toiles

On les trouve en rouleau de 10 m x 2,10 m, soit possédant déjà un encollage ou une enduction blanche, soit vierges comme le tissu que l'on achète pour la confection. Dans ce dernier cas, il vous faudra enduire vous-même la toile et patienter environ 24 heures (le temps de séchage) avant de commencer à peindre. Pour vous essayer à l'huile, achetez plutôt des toiles toutes prêtes. Mais si vous choisissez de vous perfectionner dans cette technique, il sera plus économique de les préparer vous-même. Cette opération est d'ailleurs considérée par bien des peintres comme une étape de la création.

La toile de lin est la plus prisée : elle est belle, solide, moins sensible aux variations d'humidité. On la trouve également dans des grammages très lourds pour la réalisation de grands formats.

▲ Toile encollée : au recto, la toile est prête.
▼ Au verso, la toile encollée reste vierge.

Vous trouverez également dans le commerce des toiles métisses, mi-lin mi-coton, et des toiles de coton et de polyester.

Préparer la toile

Mélangez de la colle acrylique avec 15 % d'eau et passez-la vivement sur la toile en croisant les coups de pinceau. Lorsqu'elle est mouillée, la colle a un aspect blanc qui devient transparent au fur et à mesure du séchage. Lorsque la toile est bien sèche, poncez uniformément au papier de verre moyen. À votre mélange colle-eau ajoutez du blanc de Meudon, pour obtenir la consistance d'une pommade et étalez à l'aide d'une brosse plate. Poncez légèrement de nouveau.
Au mélange précédant colle-eau-blanc de Meudon ajoutez une petite part de pigment de blanc de titane en poudre (5 à 10 %) et enduisez la toile, toujours de la même façon. En séchant, votre toile restera blanche. Vous pouvez peindre à l'huile dès le lendemain.

Astuce

Pour reconnaître une toile de bonne qualité, il suffit de l'observer à la loupe ! Plus les fils sont serrés – et moins ils laissent transparaître la lumière lorsque l'on regarde le soleil à travers –, plus la qualité de la toile sera bonne. Avec l'expérience, vous jugerez du premier coup d'œil la valeur de la toile.

▲ Toile vierge à préparer soi-même.

▲ Qualité de toile de lin à grammage très lourd, que l'on nomme double cannelé.

▲ Toile dite métisse, mi-lin mi-coton.

Exercice

Vous désirez depuis longtemps confectionner vous-même le support de votre futur tableau ? Cet exercice vous en donne l'occasion. Achetez un ou plusieurs châssis, de la toile et... suivez le guide !

Votre matériel

En plus du (ou des) châssis et de la toile, il vous faut :
• un marteau léger ;
• des semences de tapissier ;
• une pince à tendre, c'est-à-dire munie de larges mâchoires ;
• une agrafeuse (facultatif).

Le châssis

Si vous examinez le châssis, vous allez constater qu'un de ses côtés est biseauté et forme une pente vers l'intérieur. C'est ce côté qui devra être au contact de la toile, tandis que le côté plat se trouvera à l'extérieur.

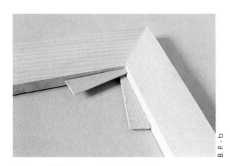

▲ Le côté biseauté du châssis sera en contact avec la toile.

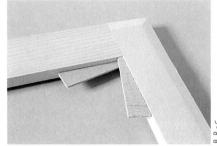

▲ Côté plat du châssis.

Pas à pas

❶ Posez votre toile sur le sol et, par-dessus, le côté biseauté du châssis. Coupez la toile en laissant tout autour du châssis une marge de 6 cm.

❷ Placez une semence au centre d'un des côtés et clouez la toile.

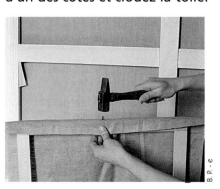

❸ Sur le bord opposé, répétez l'opération en tirant bien sur la toile avec la main.

❹ Faites faire un quart de tour à votre toile et clouez un des bords à 5 cm du bout du châssis, en utilisant la pince pour répartir la tension (celle-ci doit toujours être la même). Encore un quart de tour... et ainsi de suite. Procédez de la même manière pour l'autre bord.

❺ Revenez au centre et clouez une semence de part et d'autre de celle qui y est déjà enfoncée. Faites un quart de tour et renouvelez l'opération, jusqu'à ce que tous les côtés soient cloués et que la toile soit un peu tendue, comme celle d'un tambour.

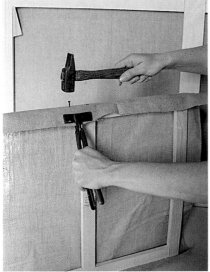

❻ À ce stade, il reste à finir les bords de la toile.

❼ Repliez soigneusement la toile sous un des bords.

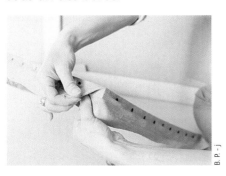

❽ Clouez ensemble, en les tendant bien, les trois épaisseurs.

❾ Répétez l'opération pour les trois autres bords.

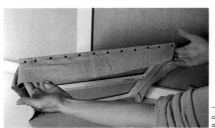

❿ Retournez votre toile à plat sur le sol et, en commençant par le centre, agrafez-la en repliant le bord de la toile en un ourlet intérieur afin qu'elle ne s'effiloche pas. Trois ou quatre agrafes par côté suffiront.

⓫ Finissez par les bords en repliant la toile à l'intérieur.

⓬ Placez les clés de votre châssis dans les petites encoches qui se situent sur les bordures intérieures : un léger coup de marteau suffit. Cela a pour but de régler la tension de la toile. Les châssis standards les moins chers sont collés et ne possèdent pas de clés.

Votre travail achevé

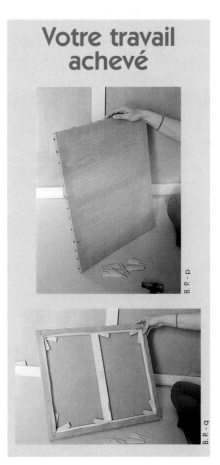

Première séance de peinture à l'huile

L'élaboration et la mise en œuvre d'une peinture à l'huile sur toile demandent un peu de rigueur, et la connaissance de quelques principes de base.

Pourquoi le temps de travail est-il de lui-même limité ? Dans la mesure où la peinture à l'huile met du temps à sécher, il faut savoir s'arrêter à un moment, si l'on ne veut pas que toutes les couleurs se mélangent et que l'œuvre devienne sale et grise.

▲ Nous sommes partis d'un sujet simple que chacun pourra trouver chez lui : une nature morte composée d'oranges dans une coupe et de poires.

La peinture à l'huile pas à pas

❶ Prenez votre carnet de croquis et dessinez librement ce que vous voyez.
Commencez votre dessin par les masses et leur emplacement dans l'espace de la feuille.

▲ Exécutez rapidement un croquis de votre composition.

❷ Au fusain, précisez votre dessin et familiarisez-vous avec la composition et les objets. Vous pouvez faire plusieurs dessins avec des compositions différentes et choisir le format de votre toile en fonction de celle qui vous plaît le plus.
Le trait doit être rapide et spontané, l'objectif étant de trouver le meilleur agencement des éléments de la composition. Cependant, n'appuyez pas trop, pour pouvoir corriger vos traits.

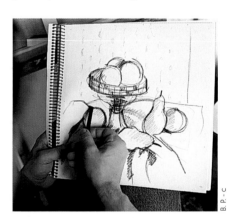

▲ Précisez votre dessin à l'aide du fusain.

Avant de commencer...

Installez votre nature morte dans un coin de la pièce où vous travaillez. Mettez un fond de papier ou de tissu derrière les objets. Posez votre palette sur un tabouret ou le rebord d'une table, avec à proximité le bocal de white-spirit, celui de térébenthine, ainsi qu'un chiffon. Alignez vos couleurs. Installez votre chevalet, ou ce qui en tient lieu (cela peut être le dossier d'une chaise), et posez-y votre toile. De préférence, peignez debout : vous serez ainsi plus libre de prendre du recul de temps en temps.

❸ Lorsque votre idée est arrêtée, il vous faut reproduire votre dessin sur la toile en l'agrandissant. Il existe une méthode simple pour cela : la segmentation. Divisez votre toile en parts égales comme si vous partagiez un gâteau carré : d'abord en deux, puis chaque morceau encore en deux. Et cela, dans le sens vertical et dans le sens horizontal.

▲ Fractionnez votre toile en parts égales.

❹ Opérez de même sur votre dessin en veillant à ce que les cases aient proportionnellement la même forme que celles de la toile. Par exemple, sur votre carnet de croquis, les cases pourraient être les répliques exactes de celles de la toile à l'échelle 1/2.

▲ Reproduisez le même nombre de carreaux sur votre croquis.

❺ En suivant les formes inscrites dans les cases de votre croquis, recopiez soigneusement, en respectant l'échelle, votre dessin original avec un fusain. Si vous vous sentez suffisamment confiant, vous pouvez vous dispenser de cette étape de mise au carreau.

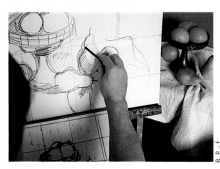

▲ En vous aidant des carreaux, recopiez votre dessin.

❻ Époussetez votre toile afin d'éliminer l'excédent de charbon qui, ultérieurement, pourrait salir les couleurs.

▲ Enlevez l'excédent de charbon à l'aide d'un chiffon.

❼ Admettons que vous commenciez par les oranges. Il n'y a pas de couleur orange sur la palette : fabriquez-la avec un jaune de cadmium clair et du rouge vermillon. Ajoutez beaucoup d'essence à votre couleur : la première couche doit avoir la consistance d'un jus.
Une fois votre mélange prêt, posez la couleur sur les fruits (les oranges et les poires).

▲ La première couleur doit être la plus maigre.

Gras sur maigre

À partir de l'étape n° 7 de votre travail, vous touchez du bout du pinceau le principe fondamental qui régit toute peinture à l'huile : gras sur maigre. En d'autres termes : la couche que l'on passe au-dessus doit toujours être plus huileuse que la précédente.
Quand il s'agit de passer la première couche sur votre toile, il faut que celle-ci soit le plus maigre possible. Vous ajouterez moins d'essence dans les séances suivantes.
Il vous est conseillé d'utiliser une feuille de papier en guise de palette, car celui-ci permet de faire dégorger les couleurs du commerce du trop-plein d'huile qu'elles contiennent généralement. Les couleurs deviennent plus sèches et ont besoin de plus d'essence pour être étalées.

⑧ Avec un plus gros pinceau, couvrez le fond d'un jus bleu, qui peut comprendre, selon les zones, du bleu outremer, du bleu turquoise et du bleu de cobalt : il est important que la première couche soit riche et puisse faire « jouer » celles qui seront appliquées après.

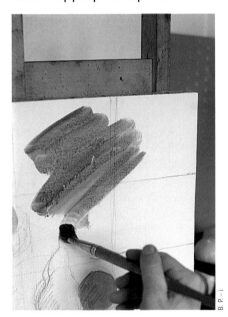

▲ Couvrez le fond d'un jus bleu.

⑨ Le fond de la toile est blanc et le tissu sur lequel sont posés les fruits l'est aussi : il faut donc poser une couleur neutre, comme un gris, afin de mieux faire ressortir des blancs que l'on appliquera plus tard.

▲ Appliquez ensuite un gris neutre.

⑩ Continuez de couvrir votre toile, en laissant le moins de blancs possible. À ce stade, votre composition est quelque peu plate et sans éclat.

▲ Laissez le moins de blancs possible.

⑪ Il faut réaffirmer votre dessin avec un pinceau fin. Reprenez certains détails avec une couleur neutre.

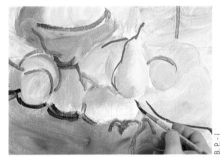

▲ Avec un pinceau fin, rehaussez certains contours.

⑫ Vous pouvez alors reprendre le travail de la couleur et des formes avec une pâte un peu plus épaisse.
Regardez souvent votre modèle. Posez les contrastes de lumière comme les ombres sur les fruits et leurs ombres portées. Cherchez à rendre plus exactement la couleur de chaque élément.

▲ Travaillez le jeu d'ombre et de lumière.

⑬ Si vous en éprouvez le désir, vous pouvez à ce stade du travail poser quelques empâtements plus importants afin de mieux faire ressentir l'impression de richesse des matières, comme, ici, les plis de la nappe. Sachez cependant que plus vos empâtements seront importants, plus ils mettront de temps à sécher.

▲ Vous pouvez appliquer quelques touches plus pâteuses.

⑭ Éloignez-vous et prenez le temps de réfléchir à ce que vous pourriez ajouter sans alourdir votre peinture et sans commencer à détruire le travail que vous avez accompli jusqu'alors.

▲ Avec quelques pas de recul, vous trouverez facilement ce qui peut manquer.

Bon à savoir

Contrairement à l'aquarelle, il est toujours possible avec la peinture à l'huile d'éclaircir certaines zones, de recouvrir une couleur par une autre. Donc, de rattraper ses erreurs !

⑮ Après réflexion, vous pourriez décider de renforcer la partie sombre sur la droite pour mieux équilibrer la composition. Vous pourriez poser des lumières plus vives sur les fruits et rendre certains détails du fond bleu comme les motifs de la tapisserie.

▲ Tâchez d'équilibrer la composition.

⑯ Vous pourriez terminer la séance de travail en colorant légèrement les blancs du tissu avec des tons chauds et en enrichissant la partie de fond sombre avec un reflet rouge.

▲ Enrichissez enfin avec des reflets les grandes surfaces.

Astuce

Pour rehausser votre composition, n'hésitez pas à ajouter des reflets, sur les parties claires comme sur les parties sombres.

Place à la création !

C'est à ce stade que la création commence et que la personnalité de chaque peintre va pouvoir s'exprimer. En effet, dès la deuxième séance de travail sur une toile (dès qu'elle est sèche), il est possible de tout modifier, en recouvrant ce qui existe.
Certains modifieront la composition ; d'autres changeront les couleurs ; tandis que d'autres encore s'attacheront à mieux rendre chaque détail.
Il n'existe pas qu'une seule façon d'aborder cette nature morte. C'est pourquoi nous vous proposons quatre variantes plus libres de notre sujet.

▲ Les formes sont plus stylisées et la manière de dessiner et de peindre est plus gestuelle.

▲ La composition a été modifiée : les oranges dans la coupe ont été remontées. Un violet placé dans le noir fait écho au jaune des poires.

▲ Le fond bleu a été descendu sur la gauche et des motifs ont été ajoutés.

▲ Certaines parties sont travaillées très en matière, comme le tissu et les oranges du haut ; tandis que, pour d'autres, comme la poire jaune, on a trouvé un équivalent à la pureté de la peau lisse du fruit et on a laissé apparaître la trame de la toile en transparence.

Bon à savoir

Le temps de séchage de la peinture à l'huile est relativement lent. Mais durant ce dernier, les couleurs ne s'altèrent que très peu. Il est donc facile de mélanger des tons sur la toile ou de créer des dégradés, mais aussi de retravailler entièrement certaines zones. L'artiste peut également appliquer des lavis et des glacis, ou même projeter la peinture.

Copier une œuvre

Revenons à la tradition académique
et exerçons-nous à copier l'œuvre d'un grand maître.
Moins pour l'imiter que pour tirer parti
de son expérience et de la maîtrise de son art.

▲ Jean-Baptiste Chardin, *Le Gobelet d'argent*, huile sur toile. Musée du Louvre.

Giraudon - a

Comment aborder la copie ?

C'est dans cette optique que nous vous proposons, ici, de réaliser la copie d'une nature morte de Chardin.

Le mot « copie » est envisagé ici comme analyse et expérimentation des moyens techniques qui ont peut-être permis au peintre de réaliser son œuvre et de transmettre au spectateur le sentiment qui l'animait.

La copie aujourd'hui

Le marché de la copie représente une part non négligeable du marché des œuvres d'art. Il fait vivre bon nombre d'artistes et répond à une demande importante. Tout le monde n'a pas les moyens de se payer une véritable toile de grand maître et les lithographies et autres reproductions sur papier n'ont pas la magie de leurs modèles ! Dès lors qu'elle ne se prend pas pour autre chose qu'elle n'est, c'est-à-dire qu'elle ne devient pas un « faux », la copie a donc une légitimité. Et puis, il ne faut pas oublier que cet exercice de style fut très répandu durant les siècles passés en Occident comme en Orient.

L'enseignement académique d'autrefois privilégiait l'étude d'après les œuvres d'art antiques (plâtres dessinés, frises de sarcophages, draperies, etc.), la copie des dessins de maîtres, ainsi que celle de leurs peintures exposées dans les musées. Ce n'est qu'une fois ces techniques maîtrisées que l'apprenti pouvait faire montre de son originalité. Heureusement pour les jeunes artistes, les temps ont changé. On a inversé le processus et mis en avant l'expression personnelle de l'artiste avant l'apprentissage du métier...

Les atouts de la copie

Reste que l'examen approfondi d'une œuvre d'un « collègue » des temps passés peut beaucoup instruire et faire gagner du temps lorsqu'il s'agit d'acquérir la maîtrise simple de quelques éléments techniques de base. Cela non pas pour se conformer servilement à des procédés surannés, mais pour bénéficier de la possibilité de les utiliser à un moment donné, si le besoin s'en fait sentir.

La préparation

Apprivoiser le motif

Pour vous familiariser avec lui, commencez par dessiner le motif de la peinture, de façon libre et plusieurs fois si besoin, comme dans l'exemple ci-dessous. Utilisez la technique et le format qui vous plaisent le plus.

▲ Plus votre trait sera spontané, mieux vous entrerez dans l'intimité du sujet. Au besoin, faites plusieurs croquis.

La place exacte des choses

En utilisant un papier calque, faites le relevé exact des contours des objets. Puis procédez à la division du cadre en carreaux d'égales dimensions, ce qui vous permettra de changer l'échelle du dessin de la reproduction et d'adopter le format de la peinture de Chardin, 33 x 41 cm.

Astuce

Au fur et à mesure qu'avance votre travail, utilisez des pinceaux plus fins et, à l'opposé, des pinceaux plus gros et secs pour réaliser le fondu des tons lorsqu'il en est besoin. Avant chaque séance, utilisez du vernis à retoucher (en bombe) afin de retrouver la même sensation du touché pictural. Enfin, n'hésitez pas à employer du médium à peindre, qui donnera à votre matière plus de corps et de transparence.

▲ La mise au carreau vous permet d'adopter n'importe quel format.

Une interprétation au pastel sec

Rien ne vous oblige à réaliser immédiatement une copie du modèle à l'huile sur toile.

Avant de vous lancer, il peut être utile de faire quelques essais de mise en couleurs au pastel, un moyen d'expression très prisé par Jean-Baptiste Chardin.

▲ Une première version au pastel vous fera sentir avec subtilité la qualité de l'harmonie choisie par le peintre et vous familiarisera avec la recherche du ton juste.

Le support

Si vous observez le tableau de Chardin, vous pouvez constater qu'à certains endroits la trame de la toile reste apparente. Aussi peut-on vous recommander de travailler sur de la toile ou du papier imitant la toile, ce qui vous permettra de trouver plus facilement le format exact de l'original et de faire plusieurs essais.

▲ Ne travaillez pas directement sur le blanc du support, mais badigeonnez le fond d'un ton à la fois neutre et chaleureux. Laissez sécher.

Le travail à l'huile

Si vous possédez de la peinture acrylique ou, mieux encore, de la peinture à l'huile, nous vous proposons de suivre les premières étapes du travail de copie d'après l'original.

Étape 1
Reportez le motif d'après votre croquis, en l'agrandissant au carreau. Effacez ensuite le quadrillage, pour ne laisser apparent que le dessin des objets.

Étape 2
En utilisant un pinceau doux pas trop petit, indiquez les ombres, de façon libre et assez sommaire.

Étape 3
Procédez de la même façon qu'à l'étape précédente pour les indications principales de couleurs.

▲ Placez tout d'abord les ombres. Quelques touches suffisent.

▲ Placez ensuite les couleurs les plus denses. Le rouge des pommes doit être « éclatant ».

Étape 4

Posez ensuite les valeurs plus claires, en n'hésitant pas à empâter quelque peu votre matière. À ce stade, on peut vous recommander de laisser reposer votre esquisse, de manière que la matière commence à « prendre », sans cependant avoir séché tout à fait.

La progression

Ensuite vient l'étape qui consiste à retrouver toutes les nuances de formes, de couleurs et de tons que Chardin a mises dans sa toile. Couche après couche, c'est l'observation et l'analyse minutieuse de chaque centimètre carré du modèle qui vous guideront pour reconstituer celui-ci. L'exemple ci-dessous est la première étape de ce travail. Les phases suivantes permettront de peaufiner l'œuvre, de manière à la rendre conforme au modèle.

L'œuvre de Chardin

Jean-Baptiste-Siméon Chardin (1699-1779) passa toute sa vie dans le quartier de Saint-Germain-des-Prés, à Paris. Il fit son apprentissage chez Nicolas Coypel et chez Jean-Baptiste Van Loo. Il fut reçu à l'Académie comme peintre de natures mortes grâce à sa très célèbre *Raie ouverte*. S'il excella dans la figuration des humbles ustensiles de ménage, qu'il suggérait d'une pâte riche et franche, il se distingua aussi par la représentation de personnages issus de la bourgeoisie ou du peuple, saisis dans leurs activités de tous les jours. Vers la fin de sa vie, il fit plusieurs autoportraits au pastel.

▲ Commencez à travailler avec une peinture plus épaisse.

▲ Patiemment, en observant chaque parcelle de l'œuvre avec une attention soutenue, vous progressez dans la reconstitution du modèle.

Pastels
et sanguine

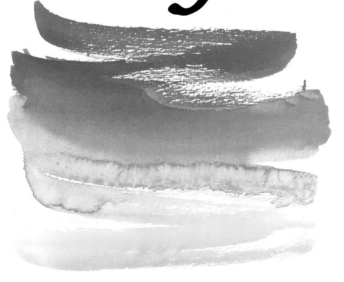

Apprivoisons le pastel

Apprivoisons la technique du pastel par la pratique. Il peut s'utiliser de plusieurs manières et produire différents effets. Nous en profiterons pour présenter quelques accessoires utiles à ces pratiques.

Rappelons d'abord une information d'une grande importance : le pastel est très salissant, poudreux et volatil. Installez-vous donc en conséquence.

Sortez les pastels de leur boîte et déposez-les sur une toile, près de vous, bien séparés les uns des autres.

Ayez toujours un chiffon doux à portée de la main pour nettoyer régulièrement vos doigts ainsi que les bâtons de pastel après utilisation, s'ils ont touché une autre couleur.

Tenir la craie en main

Revenons sur la prise en main du pastel par des exercices simples à réaliser sur un papier à dessin de type C à grain courant, avec un pastel sec de section carrée : type craie.

La technique est la même pour un pastel tendre mais elle est moins précise, le pastel tendre étant beaucoup plus friable.

Coupez votre craie d'art en deux pour ces essais. Ce n'est pas un sacrilège, mais une façon courante de se servir du pastel.

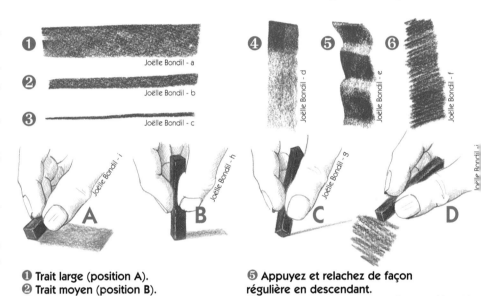

Joëlle Bondil - a
Joëlle Bondil - b
Joëlle Bondil - c
Joëlle Bondil - d
Joëlle Bondil - e
Joëlle Bondil - f
Joëlle Bondil - g
Joëlle Bondil - h
Joëlle Bondil - i
Joëlle Bondil - j

❶ Trait large (position A).
❷ Trait moyen (position B).
❸ Trait fin (position C).
❹ Appuyez, puis allégez votre pression en descendant.

❺ Appuyez et relachez de façon régulière en descendant.
❻ Frottez le pastel sur son arête (position D). Pratiquez ces exercices en les diversifiant, en changeant de sens et de couleur.

Dégrader une couleur

Nous avons vu dans les essais précédents comment dégrader une couleur ; ajoutons deux nouveaux essais.

❶ Appuyez et relâchez la pression.
❷ Frottez l'arête du bâton en allégeant au fur et à mesure la pression.
❸ Procédez comme sur l'essai précédent, puis estompez au doigt. Dans ce dernier essai, nous nous rapprochons d'une pratique très utilisée dans le pastel : l'estompe.

Joëlle Bondil - k
Joëlle Bondil - l
Joëlle Bondil - m

Superposition des couleurs

Le pastel étant très poudreux les couleurs se mélangent facilement entre elles : nous avons pu le constater dans les essais précédents. Il est possible d'éviter cela, si nous le souhaitons.

À cette fin, il faut utiliser un fixatif en bombe spécial pastel. Pulvérisez le fixatif sur votre dessin, laissez sécher et posez votre nouvelle teinte. Celle-ci se superposera sur votre premier travail au pastel sans se mélanger.

Le fixatif doit être utilisé de façon légère, et par passages successifs, pour ne pas « emporter » le pastel, très volatil. Sachez également qu'il peut assombrir un peu la teinte.

▲ Sans fixatif.

▲ Avec fixatif.

L'estompe

Nous avons abordé ce sujet dans certains des exercices précédents. Voyons grâce à cet exemple ce que l'estompe apporte à un dessin.

▲ Ici, tout est fait uniquement par superposition des couleurs.

▲ Chaque passage d'une teinte à une autre est estompé au doigt par de légers mouvements circulaires.

L'estompe du pastel peut être faite par d'autres moyens que le doigt, cela dépend de la précision recherchée ; on peut utiliser un chiffon, un coin de mouchoir en papier, un Coton-Tige ou la paume de la main tout entière si le dessin est de grande taille.

▲ Après un travail estompé, nous pouvons revenir à un trait de pastel ou de crayon précis, par exemple pour ajouter un détail.

Geste circulaire

Indication de geste vous permettant de comprendre comment débuter un volume cylindrique, comme la cafetière bleue de l'exemple ci-contre.

Le fondu

Par le « fondu », nous pouvons passer d'une couleur à une autre.

❶ Dégradez le bleu comme sur la figure 1 de l'exercice de la page précédente, puis faites de même avec le vert en commençant cette fois-ci à gauche.
❷ Dégradez le bleu comme sur la figure 2 de l'exercice précédent, puis faites de même avec le vert en commençant par le bas.
❸ Procédez comme précédemment, puis estompez avec votre doigt.

La conservation des dessins

Le pastel, comme vous avez pu vous en rendre compte dans la pratique, est poudreux, ce qui peut occasionner des dessins fragiles et salissants. La seule façon de conserver ceux-ci est d'utiliser un fixatif spécial pastel en bombe qui déposera un film protecteur sur le pastel.

N'oubliez pas les recommandations précisées dans le chapitre précédent concernant le fixatif. Si votre dessin au pastel est suffisamment estompé, c'est-à-dire s'il n'est pas trop chargé en pastel, il sera moins fragile. Dans ce cas, vous pouvez le protéger par une feuille de calque fin avant de le ranger dans un carton à dessin.

À moins que vous ne décidiez de l'encadrer aussitôt !

Le pastel sec

Plein feu sur ces craies à dessin, dont la palette de couleurs est beaucoup plus étendue que ne le laisse penser la trompeuse expression de « tons pastel ».

Possibilités multiples

La gamme de couleurs disponibles dans le pastel est très vaste. Ses couleurs sont très lumineuses et permettent toutes les combinaisons de tons, des plus doux aux plus vifs.

Avec cette technique on peut traiter tous les sujets : portrait, nature morte, paysage, composition florale, abstraction... L'autre intérêt du pastel est la grande possibilité de choix dans les supports.

Vous trouverez dans le commerce des papiers destinés au pastel, mais l'éventail est plus

Joëlle Bondil - o

large, nous le verrons ensuite. En revanche ; le pastel est salissant : gare aux tâches et au mélange malencontreux des couleurs ! Cela peut être un de ses charmes, ou un inconvénient. Un chiffon vous sera donc d'une grande utilité.

Tendre ou dur

Le pastel est reconnaissable par sa forme, celle d'une craie d'écolier. Une craie ronde pour le pastel sec tendre, une craie carrée pour le pastel sec dur, parfois appelé craie d'art ou simplement carré. La différence entre ces deux sortes de pastel est leur dureté, le pastel sec tendre est très poudreux et fragile ; le pastel sec dur et le pastel sec moyen sont moins fragiles et moins volatils. Ces propriétés

sont liées à leur composition : le pastel tendre est plus riche en poudre de couleur, le dur et le moyen contiennent plus de liant que de poudre de couleur. Le prix fait également la différence entre les deux pastels : le tendre est souvent plus onéreux parce qu'il est plus riche en pigments colorés. Ensuite, dans chaque catégorie, vous trouverez encore des gammes de prix. Optez pour une gamme moyenne. Si vous choisissez une gamme trop peu chère, vous risquez d'acquérir des pastels trop pauvres en pigments et, donc, peu satisfaisants à l'usage. Les pastels sont présentés en boîte d'une dizaine de couleurs jusqu'à plus de 200, ou bien à l'unité. Lorsque vous les achetez à l'unité on vous fournit une petite boîte pour les ranger.

Giraudon - n

▲ De nombreux artistes ont utilisé le pastel, un bon intermédiaire entre le dessin et la peinture. Odilon Redon, *Femme voilée*, musée d'Orsay, Paris.

Cette boîte est garnie d'une plaque de mousse ou de polystyrène expansé, découpée en compartiments, de façon à isoler chaque bâton de pastel. Ce conditionnement permet un transport sans risque de casse, mais, également, d'éviter tout contact entre les bâtons, le pastel étant un matériau poudreux. Pour débuter, nous vous conseillons d'acheter une boîte de 10 à 20 pastels secs de type craie d'art de dureté moyenne.

À l'usage, vous pourrez réassortir votre gamme de base en achetant des pastels à l'unité.

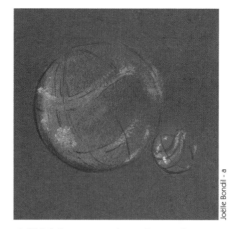

▲ Voici deux exemples qui vous donneront une idée des teintes différentes que l'on peut obtenir grâce au pastel.

Astuce

Le travail du pastel pouvant consister à frotter, estomper en appuyant sur le papier, veillez à ce que votre feuille soit fixée sur un support sans rugosité, de façon à éviter des effets malencontreux.

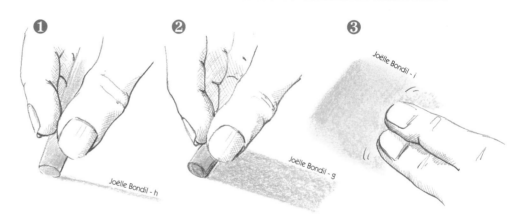

Comment tenir votre crayon pour effectuer ces essais.

❶ Tracer.　　❷ Tracer un trait large.　　❸ Estomper.

Le grain du papier

Vous trouverez dans le commerce des papiers destinés au pastel, dont le point commun est d'avoir une surface suffisamment mate pour retenir la poudre. Ces papiers sont conditionnés en pochette, en carnet, ou vendus à la feuille dans des papeteries et magasins spécialisés. Sur la plupart des carnets et des pochettes est indiquée la technique conseillée : pastel, gouache, dessin...

Certains carnets destinés au pastel sont constitués d'une feuille de papier type calque ou papier de soie intercalée entre deux feuilles de dessin ; cela est lié à la volatilité du pastel, très poudreux et, donc, salissant.

Le grain du papier a une grande importance dans le pastel.

Gardez en mémoire qu'un papier trop lisse n'est pas adapté.

Voici deux exemples d'essais de pastel ▶ sur deux papiers de surface différente.

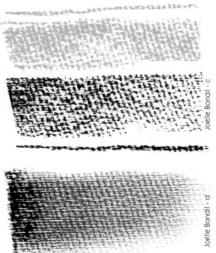

▲ Papier tramé.

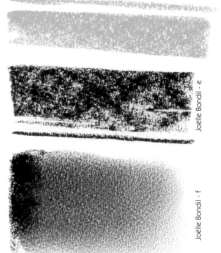

▲ Papier courant de type C à grain destiné au dessin.

Paysages marins au pastel sec

Peu encombrant, d'un maniement aisé,
le pastel sec est l'outil idéal pour saisir sur le vif,
et en couleurs, un paysage ou une ambiance.

Vous avez déjà pu vous familiariser avec la technique du pastel sec ; on vous propose, ici, de décliner vos connaissances sur un sujet précis : le paysage maritime.

Saisir sur le vif

La facilité de maniement du pastel vous permet très commodément de « camper » et de saisir rapidement les nuances d'un paysage toujours en mouvement – ce qui est le cas des paysages maritimes.

L'important pour vous est de capter l'ambiance et la lumière avec la couleur, sans chercher à détailler un dessin à l'excès.

C'est ce que l'on a mis en pratique dans le premier paysage (ci-contre), en traduisant le mouvement des éléments et le vent par de multiples touches de couleur qui forment presque des hachures.

Astuce

Plus vous désirez obtenir une impression de fluidité, plus fin devra être le grain de votre papier. Pour permettre une meilleure accroche du pastel, vous pouvez, avant de vous mettre au travail, pulvériser une fine couche de fixatif en bombe sur votre papier.

Si vous travaillez en plein air

• N'utilisez pas de trop grandes feuilles qui seraient d'un maniement délicat : 1/2 ou 1/4 raisin semble une bonne échelle.
• Prenez soin d'avoir un carton à dessin contenant quelques feuilles de papier cristal, que vous intercalerez entre vos dessins, afin d'éviter au maximum les frottements.
• Toujours dans le même but, pensez à vous munir de pinces qui maintiendront les feuilles de carton le plus soudées possible.

▲ En travaillant par touches rapides et spontanées, on a réussi à rendre l'ambiance d'un paysage, en l'occurrence, soumis à un vent violent.

B.P.-a

Aller droit à l'essentiel

Dans le dessin ci-dessous, c'est une impression plus sereine qui se dégage de la composition. Elle est bien équilibrée, entre la barque du premier plan et la jetée, terminée par un phare, qui forme un repoussoir à la fluidité du ciel et de la mer.

▲ En mariant l'estompe (pour le fond) et les traits appuyés (pour les détails), on peut faire ressortir les éléments importants d'une composition.

Mais il n'est pas toujours nécessaire d'intégrer beaucoup d'éléments dans une composition pour qu'elle capte le regard du spectateur, c'est ce que l'on constate avec le troisième dessin (en haut à droite), dans lequel deux petits triangles blancs et un fragment de rocher suffisent à indiquer l'échelle sans détourner l'attention de l'essentiel : à savoir, l'impression d'étendue océane.

Capter la lumière

À l'inverse des exemples précédents, le quatrième dessin a pour sujet principal non pas la mer et le ciel, mais bien les deux personnages sur une plage. Le pastel sec est particulièrement adapté pour rendre l'atmosphère

vaporeuse et chaude de cette fin de journée. L'impression de mouvement est renforcée par l'aspect flou des parties du corps qui sont directement exposées

à la lumière du soleil. Vous remarquerez que les ombres sont colorées, effet obtenu tout naturellement grâce à l'usage très spontané du pastel.

▲ La gamme de couleurs très soutenues des pastels secs permet de rendre en quelques touches l'essentiel d'un paysage, sans réaliser une esquisse fouillée.

▲ En gardant un geste spontané et souple, on peut aussi croquer au pastel des scènes de la vie quotidienne, qui serviront éventuellement de base pour un travail ultérieur.

Exercice

Croquons une scène de plage, directement au pastel sec, en nous concentrant sur l'ambiance et la lumière.

Pour cet exercice, vous allez utiliser quelques-unes des ressources graphiques qui vous ont été montrées précédemment.

Étape 1

Esquissez très librement votre dessin, directement au pastel, en indiquant les grandes masses de façon sommaire, sans vous attarder sur les détails. N'oubliez pas qu'avec les pastels rien n'est définitif et qu'un trait « malheureux » pourra être gommé ou estompé, ou encore se fondra dans l'ensemble au fil du travail.

Étape 2

Commencez à créer l'ambiance du fond en estompant les grandes zones et précisez les contours des personnages ainsi que leurs ombres portées. À cet effet, introduisez des teintes plus soutenues.

Astuces

- N'hésitez pas à prendre une feuille assez grande, par exemple 1/2 raisin, c'est-à-dire une feuille de 65 x 50 cm coupée en deux.
- Ayez un chiffon près de vous.
- N'hésitez pas à vous servir de vos doigts afin d'estomper ou d'effacer les parties qui ne vous satisfont pas, sans vous laisser impressionner par l'aspect « sale » que peut prendre votre dessin.

B.P.-a

▲ **Étape 1**
L'essentiel est de placer les différents éléments de la composition de façon harmonieuse.

B.P.-b

▲ **Étape 2**
❶ Commencez à estomper avec le doigt les grandes zones du ciel et de la mer, en ménageant cependant des surfaces blanches qui feront « respirer » votre dessin.
❷ Posez un premier ton de jaune qui évoquera le sable.
❸ Une nuance de bleu différente a été utilisée pour la mer.
❹ Indiquez les zones d'ombre et les ombres portées avec un pastel assez sombre mais d'une couleur chaude.

Dégradés et fondus

Pour dégrader une teinte, dosez la pression du doigt sur la craie. Pour fondre deux teintes, dégradez la première vers la seconde, puis la seconde vers la première. Selon l'effet désiré, estompez légèrement au croisement des deux.

Étape 3

Installez les contrastes pour donner du volume et de la lumière à votre dessin, par l'introduction de tons clairs et vifs. Continuez à travailler votre fond en le nuançant. Estompez au doigt pour que les tons se fondent.

Étape 4

Votre ambiance de fond bien installée, retravaillez les personnages. Ne cherchez pas à ajouter des petits détails « réalistes », mais donnez-leur de la vie en évoquant leur mouvement.

À éviter

Les papiers trop rugueux ne sont pas à recommander, car ils absorbent trop les particules de pastel. Il devient donc difficile d'estomper au doigt ou de gommer, bases du travail au pastel.

Étape 4 ▶
❶ Avec un troisième ton de bleu, évoquez des vagues.
❷ Avec un pastel blanc, animez le ciel de traînées nuageuses.
❸ Quelques détails tracés du bout du pastel suffisent à évoquer la figure.
❹ Utilisez plusieurs nuances de jaune pour travailler le sable.
❺ N'hésitez pas à utiliser un ton froid très sombre afin d'apporter des nuances dans les ombres chaudes.
❻ Choisissez la nuance la plus criarde de votre boîte de pastels pour évoquer l'éclat du parasol.

B.P - c

▲ Étape 3
❶ Posez un ton chaud à l'horizon, pour mettre en valeur les deux nuances de bleu.
❷ Estompez au doigt les zones d'ombre et commencez à donner du volume aux personnages en introduisant des lumières avec un ton clair, comme du jaune ou du rose, ou encore du blanc.

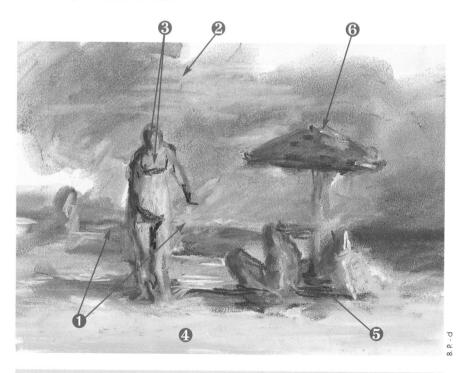

B.P - d

Bien tenir sa craie

• Vous pouvez couper votre craie d'art en deux pour plus de commodité. Plus elle est petite, moins elle risque de se casser sous la pression.

• Variez les positions de votre craie : le côté pour un trait large ; le haut pour un trait moyen ; l'arête pour un trait fin ou des hachures.

Le pastel à l'huile

Le pastel à l'huile est intéressant pour l'intensité de ses couleurs et sa consistance tendre. Il a donc l'avantage de donner un résultat très lumineux en teintes, tout en étant d'une utilisation très agréable.

Le matériau

Les pastels à l'huile se présentent sous forme de bâtonnets de section ronde, composés d'un mélange de pigments et de graisse, ce qui donne beaucoup de brillance aux couleurs.

▲ Le pastel à l'huile peut permettre de réaliser une composition aux couleurs généreuses et vibrantes.

Comme pour les pastels secs, les bâtons ont tendance à tacher les doigts aussi bien qu'à déteindre les uns sur les autres. Ayez donc toujours à votre portée un chiffon de coton ou un rouleau de papier absorbant. Pour éviter que les pastels ne se salissent trop lorsque vous les transportez ou les entreposez, gardez-les dans des boîtes à compartiments.

▲ La couleur du fond, dans la composition du haut, apparaît entre les touches de pastel et contribue à la vibration des teintes.

Le support

Vous pouvez vous autoriser, pour le pastel à l'huile, à peu près tous les supports. Une seule restriction : les supports trop grainés, où le pastel resterait en surface. Rien ne vous empêche, en revanche, d'utiliser des papiers d'emballage, de magazine, des photos, du papier peint, du papier de verre, du papier velours... ou de la toile, apprêtée ou naturelle, à condition que son grain soit fin.

▲ Un support insolite : une page d'annuaire.

▲ Trois essais sur trois teintes de fond différentes.

Les dégradés

Il y a plusieurs manières de dégrader une teinte. À partir de nos échantillons, étudions trois possibilités.

❶ Relâchez au fur et à mesure la pression en frottant votre pastel pour atténuer la teinte.

❷ Frottez votre pastel, puis estompez au doigt en tirant la teinte vers la droite.

❸ Partez de traits ou de points très serrés et espacez-les de plus en plus.

◀ Sur papier dessin C à grain fin.

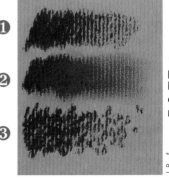

◀ Sur papier kraft, côté mat.

▲ Trois façons de dégrader une couleur.

Fondus et superpositions

Ce matériau étant gras, il est facile de mélanger une couleur à une autre. Cet avantage peut, hélas, devenir un inconvénient : cela peut produire un dessin brouillé et un peu terne.

À observer nos essais, on constate que, si l'on souhaite obtenir un dégradé et un passage souple entre deux teintes, il faut poser en premier lieu la teinte la plus sombre, puis la teinte la plus claire. Et donc, à l'inverse, si l'on souhaite superposer deux couleurs, il est souhaitable de poser en premier la plus claire, puis la plus foncée.

❶ Le violet est posé en premier, puis le blanc est posé en partant de la droite pour venir se superposer sur le violet.
❷ Le blanc est posé en premier, puis le violet est posé en partant de la droite pour venir se superposer sur le blanc.

❸ Un premier disque jaune est dessiné, puis chevauché par un disque rouge.
❹ Un premier disque rouge est dessiné, puis chevauché par un disque jaune.

❺ Couleurs posées de la plus claire à la plus sombre = superposition de teintes.
❻ Couleurs posées de la plus sombre à la plus claire = passage de teintes.

▲ Pour passer d'une couleur à une autre, ou les mélanger sans que la matière des pastels ne se mélange, il faut travailler par points, taches, traits plus ou moins espacés, de façon à faire jouer plusieurs teintes les unes à côté des autres. Ce procédé présente l'avantage de faire vibrer les couleurs.

La technique « diluée »

Elle consiste à délaver le pastel avec un pinceau et de l'essence de pétrole ou de térébenthine, ce qui permet de réaliser des effets, des fonds, ou d'adoucir certains passages.

▲ À partir d'une seule teinte passée rapidement, nous pouvons obtenir une base rosée en appliquant sur la couleur de l'essence de pétrole ou de térébenthine avec un pinceau ou une brosse plate.

▲ Passons trois teintes, puis déposons généreusement de l'essence au pinceau. Puis, avec un bout de papier absorbant, épongeons l'excédent d'essence. Nous obtenons un fondu des teintes et voyons apparaître une quatrième teinte grise, transparente comme un lavis à l'huile, faite du mélange des trois autres.

Ne vous inquiétez pas si vous voyez apparaître des taches de graisse sur votre dessin : elles disparaîtront en séchant. Cela prenant un certain temps, vous pourrez retravailler par-dessus en cours de séchage, pour profiter encore de l'effet diluant de l'essence.

La technique graffitée

Elle consiste à poser une teinte de pastel, puis à enlever de la matière avec une lame de cutter, plus ou moins largement et fortement, pour laisser réapparaître la couleur de fond.

▲ Posons quatre couleurs de pastel, puis, avec un cutter, utilisons tantôt le biseau, tantôt la pointe, pour enlever de la matière. Essayez d'utiliser la technique graffitée avec des teintes assez claires sur un fond plutôt sombre. Elle est encore plus efficace.

71

Exercices

Passons à présent à la pratique.
Nous avons choisi une gamme simple de pastels
à l'huile et un sujet appétissant : un fruit.

Le matériel

- Des pastels à l'huile ;
- de l'essence de pétrole ou de térébenthine ;
- une petite brosse plate assez souple ;
- du papier à dessin, de type C à grain fin ;
- un cutter.

1 : Fond et volume

L'objectif

À l'aide de trois couleurs plus ou moins claires, faites l'esquisse d'un fruit rond, en insistant sur son volume.

Voici la gamme que nous vous proposons. Vous pouvez l'adapter aux couleurs dont vous disposez, l'important est d'avoir trois valeurs distinctes : clair, moyen et plus soutenu ; et des couleurs qui s'accordent bien entre elles.

▲ Gamme de couleurs proposée.

Les étapes

❶ Dessinez le fruit de façon rapide avec un pastel assez clair : un cercle esquissé et de larges hachures à peine courbes.

▲ Esquissez rapidement le fruit avec un pastel clair.

❷ Trempez votre pinceau dans l'essence de pétrole ou de térébenthine et, par de rapides et légers coups de brosse circulaires, diluez le pastel sans couvrir toute la surface du dessin.

▲ Diluez par endroits le pastel avec l'essence.

❸ Revenez ensuite avec du pastel rouge, de teinte moyenne, pour donner du volume au fruit et créer une queue par des traits et des hachures légère-ment frottées. Donnez-lui une base en frottant le pastel à plat. Renforcez le modelé, l'ombre et la queue par la teinte la plus sombre, utilisée en hachures fines légèrement courbes.

▲ Donnez du volume au fruit, par un passage de pastel rouge moyen, puis mettez les ombres en place avec une teinte plus sombre.

2 : Couleurs et graffité

L'objectif

Restons dans les fruits, en l'occurrence une orange sanguine, pour ce nouvel exercice, qui vous permettra de pratiquer le passage et le mélange de teintes, ainsi que le graffité. Ne vous crispez pas pour tracer votre cercle de base, les irrégularités peuvent être intéressantes et sont de toutes façons possibles à corriger.

Ne pensez pas non plus que votre dessin va être raté si, par exemple, du bleu a débordé sur le jaune : beaucoup de choses sont rattrapables par un simple grattage au cutter. Une erreur à une étape peut aussi devenir un plus à l'étape suivante.

Précision importante, nous décidons que la lumière vient d'en haut à droite, ce qui conditionnera tous nos passages de teintes.

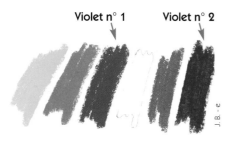

▲ Voici notre gamme de couleurs. Le violet n° 2 ne sert que pour la fin de la 4e étape.

Les étapes

❶ Tracez au pastel jaune, rapidement, le cadre rectangle, le cercle et les deux obliques. Puis modelez le cercle en boule par des frottés et des hachures serrées. Laissez un peu de blanc du papier en haut à droite de la boule. Enfin, hachurez en oblique le fond en inclinant votre pastel.

Au-dessus :

▲ Au pastel jaune, par des hachures obliques, délimitez le cadre et coloriez l'orange, en laissant en blanc une petite zone ronde.

❷ Cassez votre pastel rouge en deux ; avec une des moitiés, retracez de façon légère la sphère et renforcez le modelé intérieur par des hachures croi-

sées. Posez ensuite votre bout de pastel à plat, frottez légèrement de façon circulaire votre premier travail, en hachures pour l'adoucir. Puis, selon cette manière, frottez tout le triangle du bas, en appuyant un peu plus sur la gauche. Avec le pastel violet n° 1, renforcez de nouveau le modelé par des hachures fines et retracez une partie de la sphère, celle qui sera dans l'ombre, donc à gauche. Puis créez une base d'ombre sur le triangle rouge.

▲ Passez le pastel rouge sur la surface du fruit déjà travaillé, sous forme de hachures, puis frottez-le sur le triangle en bas. Avec le violet n° 1, soulignez la courbe de la sphère en bas, renforcez le modelé par des hachures et reproduisez l'ombre portée du fruit.

❸ Avec le pastel blanc, repassez tout d'abord sur le fond jaune en respectant la direction des traits précédents, puis faites de même sur le triangle rouge en commençant par la droite, de façon à ne pas tacher le pastel blanc avec la teinte violette posée précédemment. Avec le pastel jaune, fondez les teintes posées dans l'orange. Pour cela, commencez par travailler sur la partie la moins chargée en teinte, puis frottez dans tous les sens vers les extérieurs. Finissez par un peu de pastel violet n° 1 pour préciser le bas de l'orange en suivant la courbe.

▲ Passez le pastel blanc successivement sur le fond jaune (en respectant la direction des traits jaunes obliques) et le fond rouge en bas. Avec le pastel jaune, faites fondre les teintes posées dans l'orange.

❹ Avec le pastel bleu, repassez sur le fond jaune en travaillant dans la même direction. Avec le violet n° 1, marquez le creux de la queue. Puis, avec la lame de votre cutter, grattez le pastel du fruit, tantôt avec la pointe, tantôt avec le biseau, pour enlever plus ou moins de matière et moduler la largeur des traits. Graffitez également le fond bleu sur toute sa surface par des hachures assez libres et croisées. Faites de même, de façon partielle, sur la base rose, plutôt à gauche et très légèrement. Revenez avec du blanc sur le fond bleu, sans couvrir la totalité, et avec du jaune léger sur le rose. Pour finir, foncez l'ombre par des points de pastel violet n° 2.

▲ Passez du pastel bleu sur le fond jaune. Avec le cutter, enlevez plus ou moins de matière sur la surface du fruit, sur le fond supérieur (bleu) et sur le fond inférieur (rose). Foncez enfin l'ombre par des petites touches de pastel violet n° 2.

Fleurs au pastel gras

Le pastel peut se travailler de manières incroyablement variées, dilué à l'essence de térébenthine, gratté ou même repeint.

Peu connu du grand public, le pastel gras n'est pas pour autant une technique récente. Nombreux sont les artistes qui ont été séduits par sa luminosité et sa souplesse d'utilisation. Pour illustrer les possibilités qu'offre le pastel, inspirons-nous d'un sujet à la fois simple et coloré : une composition de pivoines.

La préparation

Comme pour n'importe quelle technique, commençons par installer les grandes lignes de la composition. Nous allons utiliser des tons pâles (du jaune de Naples, du gris et du vert olive), qui pourront aisément être recouverts.

Faire un lavis

Combinée au pastel gras, l'essence de térébenthine donne de superbes résultats, elle permet de diluer le pastel à même le papier. L'effet obtenu est alors proche du lavis d'aquarelle. Après avoir réalisé un fond avec une terre de Sienne sur notre composition florale, nous avons dilué le pastel à l'aide de coton trempé dans de l'essence de térébenthine.
Cette technique peut également être utilisée pour estomper une zone trop chargée.

Ch. P. - a

▲ Cette version a été réalisée sur un papier de couleur beige qui donnera au résultat final plus de chaleur.

Astuce

Suivant les marques, vous trouverez des pastels à l'huile durs, tendres ou très gras. Chacune de ces textures possède ses avantages. Nous vous recommandons toutefois de débuter avec des pastels secs. Ils sont plus faciles à manier et s'usent moins vite.

▲ La terre de Sienne qui sert de fond (à gauche) a été estompée à certains endroits.

▲ Commencez par installer l'harmonie générale.

bleu est un mélange de bleu de cobalt et de rouge magenta.

Affiner les formes

L'harmonie générale est en place, on peut maintenant affiner les formes, accentuer les contrastes. À l'aide d'un chiffon, on estompe le jaune des pivoines – cela adoucit le mélange –, puis on affirme les contours avec du blanc. Dans le fond, du blanc et du bleu ont été ajoutés, puis estompés avec de la térébenthine. Voilà votre composition florale terminée. Prenez un peu de recul pour juger du résultat final d'ensemble.

Le mélange des couleurs

En pratiquant l'huile, l'acrylique ou l'aquarelle, on apprend à faire le mélange des couleurs sur une palette. Lorsque la teinte obtenue n'est pas parfaite, il suffit de modifier les proportions ou de refaire un mélange. Pour le pastel gras, l'approche de la couleur est tout autre, cette dernière prenant naissance directement sur le papier. Installez l'harmonie générale, il ne faut pas terminer une partie avant d'en commencer une autre car chacune agit sur le reste du tableau. Utilisez d'abord la teinte qui se rapproche le plus de celle que vous souhaitez obtenir, vous pourrez alors superposer une autre teinte pour moduler votre couleur de base.

Le jaune orangé des pivoines est ainsi obtenu à partir d'un jaune citron dans lequel on a introduit une pointe d'orange. Le feuillage a été réalisé avec la combinaison de trois verts : vert olive + vert Véronèse + vert lumière. Le fond

▲ Remarquez comme les couleurs s'adoucissent après l'estompage.

Exercice

Par son approche directe de la couleur et sa facilité de mise en œuvre, le pastel gras est un parfait complément pour les autres techniques.

Quelle que soit la technique utilisée, un tableau ne peut être réduit à un dessin colorié. L'un des principaux attraits du pastel est qu'il nous apprend à développer en même temps l'expérience du dessin et celle de la couleur. À partir de ce dessin de lys blancs, vous allez expérimenter les particularités du pastel gras.

Les couleurs à utiliser

Voici les 22 couleurs qui vous seront nécessaires pour réaliser votre tableau (la dénomination des couleurs peut varier selon les marques).

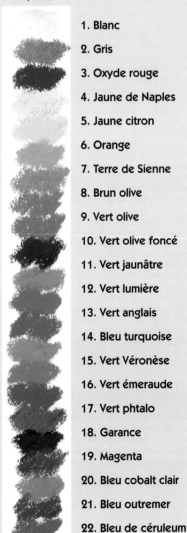

1. Blanc
2. Gris
3. Oxyde rouge
4. Jaune de Naples
5. Jaune citron
6. Orange
7. Terre de Sienne
8. Brun olive
9. Vert olive
10. Vert olive foncé
11. Vert jaunâtre
12. Vert lumière
13. Vert anglais
14. Bleu turquoise
15. Vert Véronèse
16. Vert émeraude
17. Vert phtalo
18. Garance
19. Magenta
20. Bleu cobalt clair
21. Bleu outremer
22. Bleu de céruleum

▲ Le sujet de l'exercice : une composition de lys.

Ch. P. - a

Ch. P. - b

1 : Les grandes lignes

Prenez le temps de vous imprégner du sujet que vous allez interpréter. La première étape consiste à mettre en place les grandes lignes de la composition. Ne vous attachez pas aux détails. Introduisez ensuite l'harmonie générale. Pour les feuilles, utilisez un vert lumière, un vert jaunâtre et une terre de Sienne. Le fond et les ombres sur le vase ont été réalisées avec du gris et de la terre de Sienne.

▲ Les grandes lignes sont sommairement tracées. Mais l'harmonie générale est déjà en place.

2 : L'estompage

Estompez la couleur du feuillage et des ombres à l'aide d'un coton-tige trempé dans de l'essence de térébenthine. Ne travaillez pas de manière uniforme et utilisez la térébenthine avec parcimonie. L'estompage sans apport de térébenthine présente l'avantage de ne pas altérer la couleur. Pour varier les effets, vous pouvez utiliser un pinceau, il vous permettra d'étendre à une zone restée vierge une couleur déjà présente.

▲ Les lignes bleues en arrière-plan donnent de l'assise à la composition.

3 : Les nuances

Pour foncer les feuilles, utilisez un vert émeraude, puis ajoutez un garance. L'ordre dans lequel vous utilisez les couleurs a de l'importance. Le bleu turquoise en bas à droite a été déposé sur une couche de blanc. Vous remarquerez qu'il est beaucoup plus doux que celui qui est à gauche du vase.

Les textures

La consistance des pastels variant selon les marques, la seule manière de créer plusieurs textures est de panacher les marques. Les pastels se vendant à l'unité, cela ne pose pas de problème. Lorsque la surface du papier devient chargée en pastel, il devient nécessaire de travailler avec des pastels tendres, voire très gras. Sinon il vous faudra alléger la couche de pastel en la grattant avec une lame de cutter.

Jaune + orange.

Garance + Magenta.

Vert lumière + terre de Sienne.

Bleu turquoise.

Blanc + bleu turquoise.

4 : Les finitions

Le feuillage a été estompé à l'aide d'un coton sec. Pour réaliser les nervures, grattez le pastel à l'aide d'une pointe sèche. Le grattage ne sert pas seulement à corriger les erreurs, vous vous apercevrez que c'est un véritable instrument de dessin. Vous pouvez gratter avec n'importe quel objet. Pour cette opération, les ustensiles de cuisine, notamment, se révèlent être d'excellents outils.

Jaune de Naples.

Le pastel gras a été gratté pour restituer les nervures.

La sanguine

La sanguine est une sorte de pastel dont la couleur rouge bien particulière se situe à mi-chemin entre la terre et le sang – d'où son nom évocateur.

La sanguine est utilisée par les artistes depuis la Renaissance et a offert à l'histoire de l'Art quelques-unes de ses plus belles pages. Il semble, cependant, que les dessinateurs contemporains aient un peu mis de côté ce moyen d'expression.

En effet, on ne voit plus beaucoup de dessins à la sanguine dans les galeries. Et c'est bien dommage, car son caractère chaleureux a de quoi séduire tout le monde.

Présentation et qualité

Vous trouverez la sanguine sous l'aspect de bâtonnet de pigment comprimé et dur, tout comme le pastel. Elle existe également sous forme de crayon, mais elle est alors d'un usage très difficile si l'on ne possède pas un très bon taille-crayon, car sa mine est fragile. Il existe, par ailleurs, des sanguines avec une base à l'huile, sous la forme de crayon ou de mine large que l'on utilise avec un porte-mine. Ce type de sanguines s'avère d'un usage beaucoup plus commode et précis pour les dessins de petite taille. Faisons un tour d'horizon des possibilités.

Un peu d'histoire

La couleur rouge si spécifique de la sanguine est codifiée et parfaitement établie. Mais il existe trois autres nuances : la « sanguine Watteau », du nom du peintre qui a particulièrement excellé avec cet outil et qui utilisait une nuance plus sombre de sanguine ; la « sanguine XVIIIe », qui ressemble beaucoup à la précédente ; quant à la « sanguine Médicis », elle est encore plus foncée.

Selon la forme de sanguine que vous choisirez, vos dessins présenteront des différences de matière. ▶

B.P.-a

❶ La sanguine-pastel

La sanguine-pastel ressemble au fusain. Son aspect est velouté : elle offre surtout la possibilité de travailler les lumières en gommant dans les zones estompées avec les doigts.

❷

Dessin exécuté à la sanguine-pastel sur un ▼ papier lisse.

❶

Dessin exécuté ▲ avec une nuance de sanguine XVIIIe à l'huile et un porte-mine sur un papier lisse.

❷ La sanguine à l'huile

La sanguine à l'huile s'apparente au crayon de couleur. Elle permet des dessins plus incisifs et plus graphiques. En revanche, il n'est pas possible d'estomper les traits avec les doigts.

Le choix du papier

À tous égards, un papier lisse semble beaucoup mieux adapté à la sanguine. Démontrons l'importance du choix du papier en observant le même dessin réalisé sur deux types de papiers : un papier très fin, en l'occurrence un papier bible (dessin ci-contre et dessins précédents) d'une part ; un papier « Ingres » vergé avec un grain fort d'autre part. On s'est appliqué à travailler exactement de la même façon, c'est-à-dire : poser le dessin, estomper au doigt, gommer pour faire revenir des lumières, ajouter quelques détails très fins avec la tranche acérée du bâtonnet de sanguine-pastel.

Que remarquons-nous ? Le dessin sur papier « Ingres » a un aspect beaucoup plus austère : les traits ont du mal à s'estomper au doigt, l'impression est plus confuse et moins lumineuse. On pourrait penser, par ailleurs, qu'il a été réalisé avec une nuance de sanguine sensiblement plus sombre, alors qu'il s'agit du même bâtonnet.

◀ Dessin exécuté sur papier bible. Les contours des ombres sont parfaitement estompés au doigt. Le jeu de lumière est subtil.

B. P. - d

Dessin exécuté ▶ sur papier « Ingres » vergé à grain fort. Les traits sont encore bien visibles malgré la tentative d'estompage, ce qui donne un dessin grossier, sans nuance.

B. P. - e

Effets de couleurs

B. P. - a

Vous pouvez faire des essais avec du papier coloré : vous obtiendrez les meilleurs résultats avec une nuance s'approchant de la couleur complémentaire du rouge orangé de la sanguine, par exemple un vert bleuâtre assez neutre, comme dans l'exemple ci-contre. On a utilisé deux nuances de sanguine afin de mieux rendre le volume du modèle. Les lumières ont été ajoutées à l'aide d'un bâtonnet blanc de pastel dur. Le papier utilisé été préparé avec un mélange de brou de noix et de gouache bleue additionnée de colle à papier peint afin que les traces de pinceau demeurent apparentes.

◀ Naturellement sobre, la sanguine s'accommode très bien de papiers « fantaisie », que l'on pourra préparer soi-même, comme ici.

Utilisation du pinceau

On peut affiner le travail à la sanguine en la « lavant » : on revient sur le dessin avec un pinceau humide, en étalant le pigment à la manière d'un lavis. Une fois sèches, les zones lavées peuvent très bien être gommées afin de faire revenir certaines lumières. C'est une technique très spontanée, qui permet de « s'amuser » avec le motif. Dans la mesure où l'on emploie de l'eau, il vaut mieux que le papier soit assez fort. L'inconvénient du caractère granuleux, que l'on a évoqué, est sur le dessin ci-contre en partie pallié par l'usage du pinceau.

On a utilisé deux nuances de ▶ sanguine. La plus sombre (« Médicis »), une fois diluée, prend des reflets roses très intéressants. En gommant, on a fait revenir les lumières sur le nez et la bouche.

B.P.-c

Bon à savoir

Comme le pastel, la sanguine reste légèrement poudreuse quand on l'applique sur le papier. C'est ce qui permet de l'estomper au doigt et d'obtenir ainsi des effets intéressants. Mais c'est aussi ce qui la rend salissante ! Ayez donc toujours un chiffon à disposition, et pensez à vérifier l'état, non seulement de vos mains, mais de vos avant-bras. Il serait dommage de tacher vos dessins !

Une seule nuance de sanguine a été ▶ employée. On a obtenu les parties beaucoup plus sombres en écrasant le bâtonnet dans les zones encore humides du dessin. Les détails les plus fins des herbes et des branches ont été dessinés grâce à un crayon de sanguine à l'huile.

B.P.-b

Exercice

Testons ensemble quelques-unes des possibilités offertes par la sanguine ! Nous allons pour cela placer un personnage dans un paysage exotique.

1 : Esquissez !

Avec la sanguine la plus claire, esquissez librement le motif.
Si le personnage vous pose quelques difficultés, décalquez-en les grandes lignes.
Pour la végétation, laissez parler votre imagination. Efforcez-vous simplement de varier les volumes et de répartir harmonieusement les masses.
Essayez d'ores et déjà de varier le rapprochement des traits et la pression du bâtonnet, afin de créer des zones d'ombre et des zones de lumière.

2 : Estompez !

Avec deux doigts, estompez le tracé à la sanguine, en commençant par les zones qui doivent être les plus sombres. N'ayez pas peur d'insister.
Ensuite, estompez plus légèrement les parties en demi-teinte

comme l'arrière-plan, le fleuve ou le visage.
Prenez soin de réserver en blanc tous les endroits où la lumière est la plus vive.

❶

B.P. - a

◄ Esquissez librement le personnage et son décor. Pour déterminer les zones d'ombre et de lumière, variez l'inclinaison et la pression de votre bâtonnet.

❷

Estompez ► plus ou moins les traits, en conservant des zones blanches. Pour varier l'intensité de la matière, dosez la pression de vos doigts.

B.P. - b

Votre matériel

• Une feuille de papier lisse, mais d'un grammage assez important ;
• deux bâtonnets de sanguine-pastel d'une nuance différente : par exemple, une sanguine « standard » et une sanguine « Watteau » ;
• un pinceau moyen (pinceau à aquarelle ou brosse dure en soies de porc) ;
• un pot d'eau.

3 : Soulignez !

Maintenant, à l'aide de la sanguine plus foncée, retravaillez certaines des zones destinées à être les plus sombres. Laissez-vous guider par votre œil, mais n'oublier pas que les deux couleurs de sanguine doivent rester perceptibles, car leur association vise à enrichir plastiquement votre dessin.

4 : Lavez !

Sans plus attendre, prenez votre pinceau humide et parcourez votre motif spontanément, comme vous l'avez fait avec vos doigts. Il vous faut procéder tantôt légèrement, tantôt en insistant afin de mieux dissoudre le pigment avec l'eau.

Maintenez toujours, cependant, des blancs purs dans le costume du personnage.

Si certaines zones vous paraissent trop fondues, reprenez votre sanguine et, sur le papier encore mouillé, précisez mieux le dessin et les contrastes.

Du bon usage de la gomme

La gomme, dans cette technique, ne sert plus à effacer, mais à dessiner sur la couleur.

Une fois le papier bien sec, vous pouvez travailler avec une gomme propre, afin d'éclaircir certains endroits qui vous sembleraient « bouchés ». Vous rehausserez ainsi des contrastes et des lumières que le passage du pinceau mouillé aurait trop fondus.

C'est ce qui a été fait, dans le dessin final, pour les plis du costume, le palmier et les herbes du premier plan.

❸ Avec la sanguine la plus foncée (une Watteau par exemple), soulignez les zones d'ombre. Le subtil contraste entre les deux sanguines d'intensité différente donne son relief au dessin.

Lavez plus ou moins ▶ certaines zones avec un pinceau humide. Parachevez les contrastes avant d'improviser quelques détails. Sur le bord gauche, derrière le personnage on a travaillé avec le bâtonnet, après avoir passé le lavis. Puis on a complété le dessin en ajoutant des herbes au premier plan à droite.

Crayons et encres de couleur

Les encres de couleur

Il existe des encres de couleur qui offrent des possibilités de création très étendues et absolument originales dans les effets de matière.

Les principales caractéristiques de ces encres sont leur extrême pouvoir colorant par rapport à leur fluidité et leur très grande transparence. Cela permet de créer des œuvres aux couleurs très vives et de jouer avec la luminosité naturelle du support. En ce sens, le travail des encres avec des tons neutres et discrets semblerait un contre-emploi. Osez donc la couleur pure !

Apprivoiser les encres

Avant de vous lancer dans des projets ambitieux, il n'est pas inutile de vous familiariser avec les encres de couleur grâce à quelques petits exercices que vous pourrez faire sur des chutes de papiers divers.

Vous allez pouvoir constater la différence de rendu lorsque l'on pose, à l'aide d'un pinceau, une touche de couleur sur un papier mouillé ou un papier sec. Sur un papier mouillé, l'encre se diffuse de manière plus ou moins régulière et va rejoindre la limite de la zone humide. À l'inverse, lorsque l'encre est appliquée sur un papier sec, elle offre un aspect régulier.

Le matériel

Le matériel dont vous avez besoin est assez simple :
• des pinceaux gros, moyens et fins pour l'aquarelle ;
• des plumes de différentes grosseurs ;
• un flacon de gomme liquide ;
• une assiette plate pour faire des mélanges ;
• des encres de couleur en flacon muni d'un compte-gouttes intégré (une dizaine de couleurs suffisent, les mêmes que celles qui vous servent de base pour la gouache ou l'aquarelle) ;
• du papier ayant une bonne tenue au contact de l'eau (les papiers classiques pour l'aquarelle feront très bien l'affaire, pourvu qu'ils soient blancs).

▲ La présence de gomme-laque dans certains types d'encres favorise la création d'une matière irrégulière.

▲ Sur papier sec, l'encre offre un aspect régulier en fonction des touches de pinceau.

▲ En fonction de la teneur en eau du papier, les couleurs fusionneront plus ou moins sans qu'elles aient été mélangées.

Exploiter l'humidité

Dans le dessin suivant, on a utilisé la technique de la diffusion de l'encre. Chaque pétale a été « peint » à l'aveugle, avec un pinceau simplement mouillé. Ensuite, il a suffi de poser une goutte de couleur dans les parties humides pour que celle-ci se diffuse en créant de discrètes nuances. À certains endroits, on a posé quelques touches de jaune et de vert suivant le même principe. Le vert contenant de la gomme-laque s'est dispersé irrégulièrement et a créé des petits détails en forme de craquelures.

▲ Chaque pétale a été recouvert d'eau au pinceau, puis a reçu une goutte de couleur qui s'est largement diffusée.

Sur cet autre dessin, on a utilisé la même technique, en mouillant toute la feuille cette fois-ci. Au contact de l'eau, les couleurs se sont propagées de manière plus ou moins régulière.
Le plaisir de la couleur pure sur le papier est ici suffisant sans qu'il soit besoin de chercher à être plus figuratif. Lâchez la bride à votre créativité et laissez s'exprimer votre instinct du moment. Vous aurez sans nul doute d'agréables surprises.

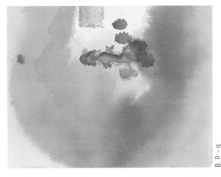

▲ Cette fois-ci, on a mouillé l'ensemble de la feuille.

Pour le dessin suivant, on a cherché des effets de matière, de façon abstraite, puis on est revenu par-dessus, avec la pointe d'un pinceau trempé dans de l'encre bleue et un simple feutre noir, pour réaliser un dessin qui n'a rien à voir avec le motif coloré du dessous.
Le résultat est dense, sans toutefois manquer de transparence ni de clarté.

▲ Les formes colorées et abstraites, résultant d'une recherche d'effets de matière, servent de fond au dessin plus concret d'un visage humain.

À l'inverse, dans le dernier exemple, le parti pris est celui de l'ordre. Les zones claires ont été réservées à la gomme liquide,

puis retravaillées avec des couleurs très claires. Cela permet de conserver une manière de peindre très gestuelle et spontanée, sans pour autant omettre, « dans le feu de l'action », certains détails intéressants.

▲ Vous remarquerez l'effet « structurant » des réserves à la gomme liquide.

L'encre et les réserves

La gomme liquide peut être un auxiliaire très précieux lorsqu'il s'agit de réserver des parties vierges et précises dans un dessin.
À l'aide d'un pinceau, étalez la gomme liquide et laissez-la sécher.
Passez ensuite librement votre couleur, sans nécessairement contourner la zone masquée.
Une fois que votre dessin est absolument sec, frottez du plat du doigt la pellicule de gomme.
La réserve apparaît alors dans tous ses détails.

Exercice

À partir d'un sujet figuratif assez simple, la vue d'un petit port breton, proposez une interprétation très libre, en ne vous laissant guider que par le sentiment que vous inspire la couleur.

Il s'agit, pour cet exercice, d'oublier le réalisme du modèle pour ne s'intéresser qu'aux possibilités sensibles de l'encre.

1 : Le dessin au crayon

Commencez par faire un dessin très réaliste de votre sujet. Pensez aux petits détails, mais sans alourdir exagérément votre propos. Le mieux est de travailler à main levée : réalisme ne signifie nullement servitude.

Au contraire, ce sont les petits « tics » de votre œil et de votre main qui personnaliseront votre œuvre et la rendront plus intéressante.

Utilisez un bon papier aquarelle et réalisez le même dessin sur deux feuilles différentes.

2 : Les masques

Sur chacune des deux feuilles, avec un petit pinceau fin et usagé, passez de la gomme liquide sur toutes les parties qui vous semblent devoir rester claires dans votre dessin final. Préserver ces zones de cette façon a pour buts de vous rendre plus libre et de vous permettre de travailler avec des gestes plus amples. Procédez ainsi sur vos deux feuilles et laissez bien sécher la gomme.

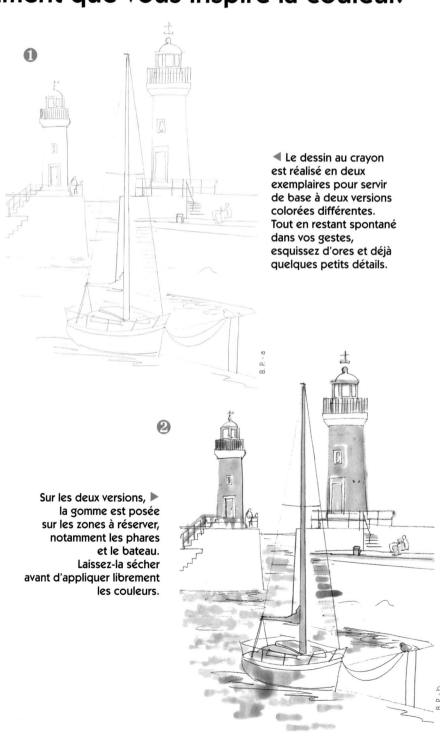

❶

◀ Le dessin au crayon est réalisé en deux exemplaires pour servir de base à deux versions colorées différentes. Tout en restant spontané dans vos gestes, esquissez d'ores et déjà quelques petits détails.

B.P.-a

❷

Sur les deux versions, ▶ la gomme est posée sur les zones à réserver, notamment les phares et le bateau. Laissez-la sécher avant d'appliquer librement les couleurs.

B.P.-b

3 : Première version

Sur votre première feuille, mouillez votre papier afin que la couleur se propage de façon douce et en créant des surprises. Posez les couleurs, en commençant de manière assez réaliste (ciel bleu, mur des quais ocre rouge, etc.). Laissez bien sécher votre feuille, puis grattez la gomme liquide pour faire apparaître les blancs que vous avez pris la peine de réserver.

Avec des tons d'encres plus clairs que ceux ayant servi à camper l'ambiance de votre dessin et avec un gros pinceau, colorez librement et généreusement votre feuille.

4 : Seconde version

Sur votre seconde feuille, mouillez votre papier généreusement avec un gros pinceau très peu chargé en rouge, puis contentez-vous de déposer sur votre feuille de grosses gouttes d'encre bleu de Prusse mélangée à de l'eau. Ne touchez plus à rien et laissez l'encre se diffuser librement toute seule. Dans les parties que n'atteint pas le bleu, peignez de façon plus légère sans vous préoccuper du contour des éléments du décor. Laissez bien sécher votre feuille, puis grattez la gomme liquide. Avec un gros pinceau chargé d'une couleur très vive, retravaillez certaines parties en prenant soin de conserver certains détails en blanc. Un contrepoint valeur à la blancheur des phares est apporté par le premier plan plongé dans l'obscurité avec de l'encre de Chine noire.

◄ Après avoir enlevé la gomme liquide, on a appliqué du jaune au centre et du violet à gauche avec un gros pinceau, sans se préoccuper des limites des éléments du décor. On a ainsi obtenu cette lumière plongeant sur le bateau de façon surréaliste.

Après séchage ▶ et suppression de la gomme liquide, on a retravaillé certaines zones avec du rouge vermillon et le premier plan avec de l'encre de Chine noire. Le bleu de Prusse qui s'est étendu dans le ciel grâce à l'humidité, ajouté à l'obscurité profonde du premier plan, participe à l'atmosphère « orageuse » du tableau.

À la fête foraine

Sortons nos encres, crayons de couleur, plume, pinceaux... Il y a de quoi faire avec un sujet aussi riche et coloré que la fête foraine !

Dans les exemples qui suivent, nous avons essentiellement utilisé des encres et de l'aquarelle, mais de façon très particulière, chaque fois, selon l'ambiance, le sujet.

De la couleur

Observez les baraques foraines. Voilà de belles occasions de vous servir de rose vif, de bleu turquoise, de jaune, d'orange, de rouge vermillon, de vert vif... Vous vous demandez peut-être comment on peut adoucir ces teintes sans les affadir. En utilisant du papier buvard, qui va diffuser les couleurs et créer ainsi des fondus. Nous vous en proposons un exemple, réalisé avec des encres. Vous constaterez qu'avec cette technique votre dessin est visible – et différent – sur les deux faces.

Du spectacle

Pensez au mouvement, au côté spectaculaire de votre sujet, au côté aérien, et à la façon de composer avec ces données pour mettre en valeur l'attraction. À cette fin, ne peaufinez pas les détails : seule l'impression générale compte.

On a dessiné les balançoires à l'encre avec une plume.

Les couleurs simplifiées permettent de jouer sur le graphisme de la plume.

Un ciel léger valorise le « vol » des petits personnages.

Le fond, juste esquissé, ne brouille pas l'effet aérien des balançoires et de leurs occupants, qui s'opposent à la foule restée au sol, dans un premier plan assombri.

J.B. - a

▲ Les teintes plus foncées servent plutôt à donner de la profondeur et à indiquer les ombres.
❶ Pour ce qui est des teintes sombres, utilisez du bleu, du violet, mais pas de noir, qui durcirait l'ensemble.
❷ Le buvard absorbe l'humidité. Si les couleurs pâlissent, revenez par touches et jouez des surprises que vous réserve ce nouveau support.
❸ L'esquisse a été réalisée avec un feutre rose vif. Elle sera en partie mélangée aux encres ou recouverte par celles-ci, mais apportera par endroits des touches de couleurs supplémentaires.

J.B. - c

▲ Dans le ciel en lavis, on a laissé des blancs pour les balançoires. Avant que l'encre ne soit totalement sèche, on a passé un coup de pinceau humide dans la zone de la foule.

Une ambiance

La fête foraine est un espace qui peut suggérer des ambiances extrêmement différentes selon notre sensibilité. Jouez de ces impressions, de votre inspiration pour restituer des moments particuliers, en vous servant de la lumière et des multiples espaces que vous offre la fête foraine. L'exemple ci-contre évoque une ambiance de fin de journée. On imagine la piste d'autos tamponneuses déserte. La zone ombrée dans laquelle sont rangées quelques autos, au premier plan, s'oppose à un fond lumineux à dominante jaune, un décor maritime peuplé de véliplanchiste et de plaisanciers. En plus petit et en contre-jour figure l'unique occupant des lieux, au centre du tableau.

▲ Après avoir réalisé une esquisse avec un crayon graphite, on a effectué un premier passage à l'aquarelle jaune pâle sur l'ensemble du fond. Après le passage des autres teintes, le recours à un crayon violet permet d'assombrir davantage le premier plan.

Son isolement est renforcé par une composition rectangulaire.

Un sujet en or

Les chevaux de carrousel présentent une certaine diversité. Ils peuvent être naïfs ou réalistes, rigides ou, à l'inverse, comme saisis dans un mouvement très expressif. Leur décoration est tout aussi variée. Pour les observer, visitez les musées d'art forain.

Des détails

Dans une scène de fête foraine, maints détails (des éléments de décoration, des plus clinquants aux plus désuets, un bonimenteur parmi la foule, etc.) peuvent retenir notre attention, jusqu'à devenir des sujets à part entière. Pour notre recadrage de carrousel, nous avons utilisé de l'aquarelle, de l'encre, du crayon, du feutre. On y voit une partie du manège, on devine le mouvement du cheval au premier plan et la coloration du ciel nous informe qu'il s'agit là d'une ambiance de soirée. Contrairement à l'exemple précédent, les éléments au premier plan (l'enfant sur son cheval) sont les plus éclairés. Les détails apparaissent par superpositions de teintes. Un ultime passage à l'encre rouge met en valeur les zones lumineuses.

▲ L'esquisse a été faite avec un crayon violet et reste volontairement visible. Puis on a appliqué les teintes de base assez douces à l'aquarelle. Les touches de couleurs plus vives proviennent de l'encre et du feutre rose vif. La teinte du ciel et les touches plus sombres du manège ont été posées en dernier lieu à l'encre bleue.
❶ Jouez avec les couleurs appliquées précédemment, en les laissant apparaître par endroits.
❷ Les derniers passages à l'encre apportent des plages lumineuses, tout en se superposant aux précédents passages à l'aquarelle : ce jeu de transparence enrichit le dessin.

Exercice

Vous allez travailler tantôt dans l'humide, tantôt dans le sec, pour que les couleurs se superposent ou se diffusent les unes dans les autres, combinant ainsi deux effets.

Le sujet de cet exercice est la tête d'un cheval de carrousel. N'essayez pas de colorer systématiquement les surfaces en fonction de leurs bordures précises.

Étape 1

Faites une esquisse légère avec le crayon, puis tracez votre sujet à l'aide de la plume.
Colorez une partie de votre premier travail avec un pinceau et de l'encre. Laissez sécher avant de passer à la deuxième étape.

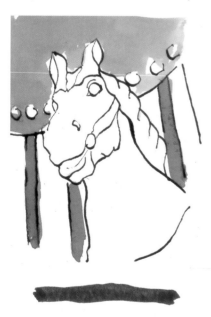

▲ Après une esquisse au crayon, dessinez le sujet à la plume.

Étape 2

Avec le pinceau brosse large mouillé, détrempez votre dessin, effacez partiellement l'image en passant la brosse, puis essuyez avec le papier absorbant.

▲ Le premier tracé à l'encre bleue, une fois effacé, laissera sur le papier une teinte froide bleutée, à conserver partiellement par la suite.

Le matériel

- Un crayon HB ;
- un porte-plume ;
- une plume ;
- des encres de couleur (évitez le noir) ;
- un pinceau brosse large ;
- des pinceaux plus ou moins fins selon les dimensions de votre réalisation ;
- de la peinture acrylique blanche ;
- du papier absorbant ;
- du papier aquarelle de 300 g.

Étape 3

Reprenez le tracé du cheval à l'aide de la plume et de l'encre sur le papier humide. Colorez une partie du fond avec le rose pour le haut puis le jaune d'or pour les rayures, en laissant le jaune se diffuser dans le rose. Appliquez de l'acrylique blanche sur le corps du cheval, du jaune sur le harnais. Finissez par le bleu turquoise.

▼ Cette rayure a été ajoutée sur l'encre jaune, puis tamponnée à l'aide d'un papier pour donner cet effet.

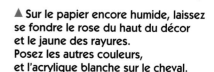

▲ Sur le papier encore humide, laissez se fondre le rose du haut du décor et le jaune des rayures.
Posez les autres couleurs, et l'acrylique blanche sur le cheval.

Étape 4

Nous vous proposons deux versions pour cette étape.

La première version

Pour la première version (exemple ci-dessous), posez du violet dans la crinière, les yeux, l'encolure. Avec la plume, sans encre, marquez les mouvements de la crinière dans l'encre fraîche.

Posez du rose dans le fond, sur le cheval, son encolure, puis ajoutez des touches de rouge dans le fond : le haut, les rayures, le bas de l'encolure. À l'aide de la plume, soulignez d'un trait à l'encre violette la frontière entre les rayures et la partie supérieure du manège, dans le fond.

Ces motifs sont tracés avec la plume et de l'encre bleue. Une fois fortement estompés avec du papier absorbant, ils donnent des traces bleutées.

Créez quelques ombres et un motif à l'encolure.

Revenez avec un bleu plus soutenu sur la crinière, les yeux, l'encolure, les rayures. Créez un motif dans le haut du décor. Avec la plume et de l'encre bleue, tracez des lignes dans la crinière encore humide et quelques motifs dans le fond, à effacer partiellement au papier absorbant.

Terminez par un passage de rose dans le haut, plus soutenu à certains endroits.

▲ La seconde version, plus « lumineuse ».

▲ Coups de plume dans l'encre fraîche.

La seconde version

Pour la seconde version (exemple en haut à droite) posez un lavis bleu dans la crinière.

Une autre manière d'utiliser l'encre

Pour réaliser ce sujet, il vous faut : une plume, des encres de couleur, des pinceaux, un peu de peinture acrylique blanche, du papier aquarelle de 300 g environ.

Vous pouvez utiliser la plume pour « griffer » le papier, soit avec une encre encore humide passée à l'aide d'un pinceau, soit en effaçant une esquisse à la plume, en première étape. En ce cas, resteront les marques de la pointe de la plume, même après passage d'encres, par le jeu de la transparence.

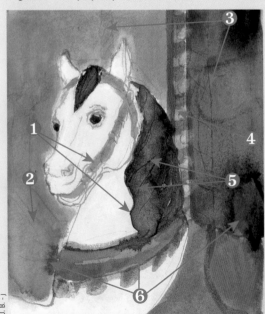

❶ Le premier tracé du cheval avec de l'encre rouge a été « balayé » par la brosse, ce qui donne au papier sa teinte chaude.
❷ Passage d'une teinte sur l'autre, sans séchage.
❸ Des traces de l'esquisse effectuée à la plume sont encore visibles.
❹ Passage d'une teinte sur l'autre après séchage.
❺ Coups de plume dans l'encre fraîche : l'encre pénètre dans les griffures de la plume.
❻ Travail en zone humide : les encres se fondent les unes dans les autres.

Les crayons de couleur

Le crayon de couleur fait immédiatement penser à la panoplie du petit écolier ! Mais que les « grands » se réapproprient cet outil, et ils y trouveront une excellente introduction à la pratique du mélange des couleurs.

Le matériel

Le plus simple est bien sûr d'emprunter à un enfant de votre entourage sa boîte de crayons de couleur !

Cependant, ceux-ci sont rarement de bonne qualité. Et si, dans d'autres domaines, le matériel de base est à recommander absolument pour les débutants, en ce qui concerne les crayons de couleur, mieux vaut se diriger d'emblée vers de bonnes marques qui proposent des crayons à 1,50 € environ l'unité. Les crayons de couleur bas de gamme, plus ternes, ont des mines trop sèches qui se cassent chaque fois qu'on les taille ou au moindre choc.

Que vous achetiez une boîte de crayons ou que vous achetiez ceux-ci à la pièce, n'allez pas au-delà de quinze crayons : c'est amplement suffisant pour un début. Privilégiez également les couleurs vives.

Il existe maintenant deux autres types de crayons de couleur : les pastels, qui ont l'aspect de crayons mais avec une mine très poudreuse, et les crayons diluables à l'eau. Ces derniers ont le même rendu que les crayons ordinaires, mais, lorsque l'on passe sur le dessin un pinceau humide, les couleurs se fondent et le dessin prend l'aspect d'une aquarelle.

Les papiers

D'une manière générale, tous les papiers conviennent au crayon de couleur à condition qu'ils ne soient pas glacés (comme ceux des revues, par exemple).

Cependant, un papier épais avec un grain trop apparent ne donne pas un résultat très agréable à l'œil car la couleur ne pénètre pas dans les creux du papier. Comme en témoignent les essais ci-après.

▲ Essai sur papier lisse. La couleur pénètre dans le papier. L'effet est réussi.

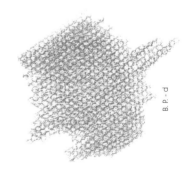

▲ Essai sur papier à grain. La couleur ne pénètre pas dans les creux du papier. L'effet n'est pas agréable à l'œil.

Lorsque l'on pense papier, on visualise une feuille blanche ; pourtant, les crayons de couleur trouveront toute leur résonance sur du papier coloré doux ou vif, allant même jusqu'au noir. On trouve de belles gammes dans le commerce, ou l'on peut aussi colorer soi-même des feuilles blanches.

Jeux de crayon

Le crayon de couleur ne sert pas à faire du « coloriage » ! C'est-à-dire à remplir servilement de couleur les formes d'un dessin exécuté au crayon noir. Familiarisez-vous plutôt avec les crayons en faisant des essais sur une feuille quelconque, et sans volonté de dessiner quoi que ce soit, un peu comme lorsque l'on griffonne près du téléphone. Amusez-vous et n'ayez aucun désir de bien faire. Observons quelques exemples représentatifs des effets que l'on peut obtenir avec des crayons de couleur.

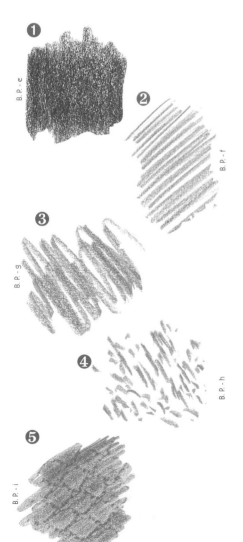

Colorer du papier ?

C'est simple : il n'est pas besoin d'aller chercher bien loin. Un reste de thé ou de café fort au fond d'une tasse peut très bien faire l'affaire ! Trempez généreusement un petit chiffon dans le thé ou le café et essuyez les feuilles en n'oubliant pas les bords ; laissez absorber quelques minutes et placez ensuite les feuilles dans un vieux journal avec un grand livre par-dessus afin de bien les sécher. On peut opérer de même avec un peu d'encre de Chine plus ou moins allongée d'eau, et aussi avec des encres de couleur en petit flacon que l'on trouve partout dans le commerce. Si des taches ou des auréoles apparaissent sur le papier, laissez-les ! Elles vous aideront dans votre futur dessin.

◀ ❶ Couleur en aplat : les coups de crayon sont serrés, afin qu'ils disparaissent et donnent un aspect fondu à la couleur.
❷ Hachures régulières.
❸ Crayonné libre.
❹ Des pointillés, qui laissent apparent le fond du papier.
❺ Transfert d'un aspect en plaçant sous le papier une matière à forte texture (ici, un filet à pommes de terre).

Jeux de couleurs

En variant la pression sur le crayon, on modifie la densité de la couleur. Avec un crayon de couleur vive, on peut ainsi obtenir un ton très pâle.

▲ Sur cet essai, le trait clair résulte du passage d'une gomme qui, s'il estompe le crayonné, ne parvient cependant pas à effacer complètement la trace de la couleur.

En croisant des hachures de différentes couleurs, on obtient le mélange optique de celles-ci. C'est le véritable intérêt des crayons de couleur.

▲ Vous pouvez remarquer que, plus on mélange de couleurs par cette technique, plus on obtient un ton sombre et neutre.

Après avoir mélangé deux tons pour en obtenir un troisième, il est possible de renforcer l'impression visuelle obtenue en estompant avec le doigt la zone voulue.

▲ Du jaune et du bleu superposés donnent du vert.

▲ La zone de superposition des couleurs est estompée au doigt ce qui homogénéise le mélange de jaune et de bleu et ainsi renforce l'intensité de la couleur verte.

Jeux de papier

L'autre point majeur qui déterminera l'aspect de votre dessin est la couleur du papier. Sur ces exemples, on peut constater qu'un seul et même ton prend un aspect tantôt vif, tantôt éteint, en fonction de la couleur du support.

◀ **Sur fond bleu :** le violet est éteint alors que le rouge reste vif.

Sur fond ▶ gris foncé : seules les couleurs les plus claires ressortent.

Sur fond vert : le rouge, sa couleur complémentaire, ▼ est très lumineux.

Les deux couleurs ▲ sont très visibles, mais un peu ternes.

◀ **La couleur de fond est dominante** et prend le pas sur le rouge et le violet.

Le violet ▶ s'harmonise avec la couleur de fond marron.

Les quatre versions du profil ci-dessous sont une belle illustration de l'importance du papier dans le dessin avec des crayons de couleur. Elles ont été réalisées à partir du même motif, avec les sept mêmes couleurs. Elles procurent cependant un sentiment tout à fait différent : le changement de papier en est la cause.

❶ Cette version a été exécutée sur un papier très fin et un peu transparent à motif marbré qui a servi à emballer des légumes au marché (on voit qu'il n'est pas besoin de se ruiner pour bien faire !). Les couleurs prennent tout leur éclat, elles sont chaleureuses, profondes et lumineuses à la fois : en quelques coups de crayon, on arrive à un résultat tout à fait satisfaisant.

❷ Cette version, réalisée sur calque et posée sur fond noir, paraît beaucoup plus froide.

❸ Ce dessin sur papier ordinaire donne l'impression d'être creux, fade et sans volume.

❹ Cette version de « sauvetage » a été réalisée à partir de la précédente. On a continué le travail en insistant sur le rouge et le carmin, dans l'espoir d'apporter de la lumière. Peine perdue ! Le jaune acide du fond a été couvert, cela a tendance à « fatiguer » le dessin, à le « boucher » : on ne retrouve pas l'atmosphère et le geste simple du premier dessin.

Réaliser
Une composition

Le crayon de couleur est l'art de la superposition ; aussi ne pensez pas que ce que vous tracez est à aucun moment définitif.
Observons l'élaboration de la nature morte ci-dessous.

Étape 1

Il faut commencer par faire un croquis léger de votre motif, immédiatement au crayon de couleur.

Étape 2

Placez ensuite une vague évocation de la lumière. Ici, elle vient de la droite.
Ensuite, mettez en place les représentations des ombres des objets. Qui dit ombre ne dit pas noir ; ici, elles sont colorées car c'est la superposition de plusieurs couleurs qui donnera une impression sombre sans que le dessin paraisse pauvre.

Étape 3

Dans la troisième étape de cette composition, on observe l'importance du mélange des couleurs. Un bleu est déposé sur le carmin pour approfondir l'ombre du vase, ainsi que dans l'ombre portée des raisins.

Une zone plus lumineuse est créée dans les jaunes du citron et du vase, tandis que le bleu plus sombre derrière celui-ci donne l'impression que le fond s'éloigne.

Étape 4

En affinant les contours des objets, pensez aussi à la matière de chacun. Ici, la brillance de la céramique est mise en valeur par un éclat blanc ; dans une moindre mesure, il en va de même pour le citron.
Les raisins ont été frottés avec les doigts afin d'estomper les coups de crayon et leur donner un aspect plus diaphane juste rehaussé par une pointe de blanc déposée sur seulement l'un d'entre eux.

Ne pas oublier

N'oubliez pas de vous munir d'un excellent taille-crayon avec des lames de rechange.

97

Exercices

La facilité de mise en œuvre du dessin au crayon de couleur permet de grandes libertés quant aux essais que l'on peut faire dans des lieux très variés. Installons-nous, dans un café.

Nous vous proposons de travailler en extérieur avec des crayons de couleur, dans un café.

1 : Ébauchez la composition

Sur un premier dessin, mettez en place les éléments de la composition que vous avez devant vous en essayant dès le départ de répartir les zones d'ombre et de lumière. Pour ce faire, crayonnez largement votre dessin avec les couleurs qui vous semblent le mieux en rapport et sans vous préoccuper des détails qui viendront après.

2 : Affinez les formes

Continuez ensuite sur cette base, en affinant la forme des personnages et des objets qui les entourent, comme les tables et les chaises. Cernez les contours et, en vous remémorant les exemples proposés dans le cours, mélangez les couleurs pour appuyer les contrastes et donner à ce premier dessin densité et profondeur.

Dans un deuxième temps, les formes ▶ sont affinées, les contours cernés et les détails représentés.

Le matériel

Vous pouvez utiliser votre carnet habituel qui doit comporter des pages blanches, ou bien un carnet aux pages de couleur, ou encore quelques feuilles colorées que vous aurez pris soin de découper au même format.

Dans un premier temps, ▶ la composition est ébauchée directement aux crayons de couleur, à grands traits.

B.P.-a

Bon à savoir

L'usage du crayon de couleur est particulièrement bien adapté à ce genre d'exercice car il permet très vite de retrouver l'ambiance du dessin précédent, sans se perdre dans des détails fastidieux.

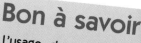

B.P.-b

3 : Transformez votre composition

Gardez en tête le dessin que vous avez fait ou, mieux, utilisez la page qui lui fait face, pour entamer un nouveau dessin en conservant les données essentielles du précédent mais en transformant un peu la composition.

Vous pouvez décentrer votre sujet afin, par exemple, d'ajouter un personnage debout qui n'avait fait que passer dans votre champ de vision lors de votre premier dessin. Même s'il n'est plus là, essayez de l'intégrer en vous souvenant de sa silhouette sans entrer dans les détails. L'imagination est déjà en jeu dans votre dessin.

4 : Intégrez un premier plan

Dans un troisième dessin, reprenez la composition précédente en la décalant de nouveau et en intégrant maintenant un premier plan, qui peut être une personne attablée plus près de vous ou, tout simplement, votre table et votre tasse à café. À partir de votre simple ébauche rapide du début, vous avez abouti à une composition ferme. Vous pouvez maintenant pleinement jouer des mélanges de couleurs, pour personnaliser votre œuvre. Mais attention : en respectant toujours les zones d'ombre et de lumière que vous avez placées dès le départ.

❸

Astuce en plus

Afin d'éviter que les crayons ne s'éparpillent ou ne roulent partout, pensez à les serrer avec un simple élastique, vous les aurez ainsi bien en main.

Sur les mêmes bases, ▶ la composition a été légèrement modifiée par l'ajout d'un personnage à droite, dont la silhouette est esquissée.

❹

◀ Sur cette 3ᵉ version du dessin de base, on a ajouté un premier plan : une table et une tasse à café qui pourraient être celles de l'auteur de ces dessins.

Bon à savoir

Les conseils de cet exercice sont valables pour tous les croquis pris sur le vif, d'un poste d'observation fixe. Vous pouvez tout à fait les mettre en pratique dans votre salon ou dans votre jardin, en prenant votre famille pour sujet.

Le café, source d'inspiration

Le café est, pour les dessinateurs comme pour les écrivains, une bonne source d'inspiration. Ce n'est plus vous qui bougez comme dans le croquis en extérieur, ce sont les scènes autour de vous qui évoluent. Pourtant, les gens restent immobiles assez longtemps pour que vous ayez le temps de les dessiner à votre aise.

Quelques techniques originales

Peindre avec des produits liquides

Vous disposez certainement chez vous de produits avec lesquels vous n'avez jamais imaginé peindre ou dessiner. Pourtant, c'est possible... et même passionnant !

Une gamme de couleurs

Nous avons inventorié les produits utilisables, en fonction de leur couleur. Vous pourrez compléter cet échantillonnage par vos propres découvertes.

Le jaune

Le jaune est une couleur très présente dans notre quotidien. Elle est néanmoins difficile à « capturer » sur une feuille de papier. Divers éléments permettent toutefois de la rendre.

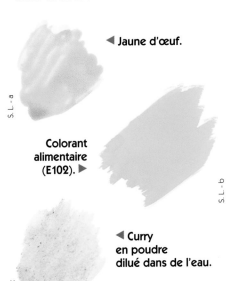

◄ Jaune d'œuf.

Colorant alimentaire (E102). ►

◄ Curry en poudre dilué dans de l'eau.

S. L. - a

S. L. - c

Le rouge et le rose

Au naturel, pour restituer ces couleurs, vous pouvez utiliser des fruits rouges pressés ou du jus de betterave.

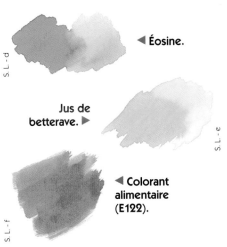

◄ Éosine.

Jus de betterave. ►

◄ Colorant alimentaire (E122).

S. L. - d

S. L. - e

S. L. - f

Le bleu

Le bleu est une couleur rare dans notre environnement matériel. Ici, nous avons utilisé du bleu de méthylène plus ou moins dilué dans de l'eau.

S. L. - b

S. L. - g

▲ Le bleu de méthylène est un colorant et un désinfectant extrait de la houille

Le vert

Les jus de cuisson de légumes (artichaut, haricots verts...) ne sont pas suffisamment concentrés en couleur pour donner satisfaction. En revanche, il existe des colorants alimentaires qui permettent de restituer cette couleur.

Colorants ► alimentaires (E102, E131).

S. L. - h

L'orange

Nous pouvons obtenir de l'orange en faisant bouillir des peaux d'oignons.

Jus de peaux ► d'oignons bouillis.

S. L. - i

Bon à savoir

Les sirops et les confitures sont déconseillés, car leur forte teneur en sucre rend le séchage difficile et pose des problèmes de conservation.

Les bruns

On obtient toute une gamme de bruns avec des produits de consommation courante.

◀ Brou de noix (teinture pour bois).

Sauce soja. ▶

◀ Chocolat en poudre dilué dans de l'eau chaude.

Café avec ou sans marc. ▶

◀ Thé.

Le pourpre

Pour rendre cette couleur, on pense immédiatement au vin rouge. Eh bien, sachez qu'il se décolore en séchant. Utilisez plutôt du jus de mûre.

◀ Vin rouge.

Mûre frottée. ▶

Côté pharmacie

Vous pouvez également trouver des couleurs originales en utilisant des produits médicaux ou ménagers.

La Bétadine

Cet antiseptique à base d'iode est un liquide ambré qui réagit de manière tout à fait inattendue sur le papier. En fonction du papier support, vous n'obtiendrez pas les mêmes teintes, comme vous pouvez le constater dans les essais ci-dessous.
Joseph Beuys (1921-1986), artiste allemand, a beaucoup travaillé avec de la Bétadine. Ce médium était pour lui une référence à la guerre et aux blessures que l'on panse.

◀ Bétadine sur papier Arche.

Bétadine ▶ sur papier Canson.

◀ Bétadine sur papier machine.

L'eau de Javel

Elle permet de créer des effets. La quasi-totalité des produits évoqués ci-dessus peuvent être décolorés avec de l'eau de Javel. C'est une façon de se servir du blanc pour mettre des formes en valeur. Attention ! L'eau de Javel a un effet corrosif sur les poils de pinceau. Travaillez plutôt avec un Coton-Tige.

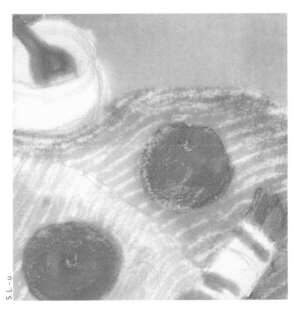

▲ Cette nature morte, réalisée avec de la Bétadine, a été retravaillée à l'eau de Javel pure à l'aide d'un Coton-Tige.

Faites des tests !

Tentez des mélanges et des superpositions avec différents produits pour vous rendre compte de leur réactions. Amusez-vous à peindre des paysages imaginaires.

▲ Même si les couleurs ne sont pas réalistes, il est important de respecter les rapports d'échelles.

Exercices

Nous vous proposons ici de travailler avec les différents produits que nous avons listés, afin de vous rendre compte de leur texture et de leur puissance de coloration lors des mélanges.

1 : Paysage à la Bétadine

La Bétadine est un produit particulier qui peut se suffire à lui-même. Sur une feuille de papier Arche, tracez une ligne qui marquera l'horizon et appliquez la Bétadine au pinceau en trouvant un rapport de teintes entre le ciel et la terre. Pour éclaircir le produit, diluez-le dans de l'eau. Vous pouvez aussi l'appliquer dans le ciel avec un tampon de coton.

▲ Pour ce paysage, nous avons joué sur la quantité d'eau utilisée. Même si le produit est sec, vous pouvez l'éclaircir ou le modifier en ajoutant de l'eau.

2 : Bétadine et eau de Javel

Votre second exercice consiste à reproduire une pomme avec ces deux produits. Voici les différentes étapes de réalisation.

Étape 1
Sur une feuille de papier Arche, dessinez une pomme en notant les zones de coloration du fruit. Nous avons indiqué des valeurs pour le fond à l'aide de hachures. Vous les mettrez directement en œuvre avec la Bétadine.

▲ Commencez par un croquis au crayon en indiquant les différentes zones de coloration.

Étape 2
Peignez avec de la Bétadine, en tenant compte des différentes valeurs. Vous devez doser la quantité d'eau utilisée.

◄ Pour obtenir une teinte brune, vous devez utiliser la Bétadine pure (sans eau).

Étape 3
Le résultat que vous obtiendrez va dépendre de la façon dont vous allez intervenir avec l'eau de Javel. Voici deux traitements différents réalisés à l'aide d'un Coton-Tige. Dans les deux cas, nous avons rehaussé certaines parties avec de la Bétadine pour donner du relief à l'ensemble.

▲ Dans cette première version, nous sommes intervenus partiellement en jouant sur les contrastes et en nuançant le fruit dans ses détails.

▲ Dans cette seconde version, l'intervention à l'eau de Javel est beaucoup plus affirmée. Le résultat est plus graphique.

Bon à savoir

- Le bleu de méthylène est un colorant extrêmement « tenace ». Il colorera en bleu les poils de vos pinceaux.
- La Bétadine ne se fixe pas sur certains produits (sur le jus de betterave par exemple). Faites des essais !
- Pensez à travailler avec plusieurs pots d'eau pour éviter les mélanges de colorations.

3 : Aquarelle sans aquarelle

Vous pouvez obtenir un rendu « aquarelle » – c'est-à-dire avec cette fluidité et ces tons délavés caractéristiques – sans utiliser de peinture.

À partir d'un calque réalisé d'après une photographie, nous vous proposons de réaliser une œuvre avec des produits autres que la peinture.

Le bleu de méthylène

Le bleu de méthylène est un colorant basique de la classe des thiazines. Il est extrait de la houille. Sa couleur est dense et profonde mais elle peut être plus ou moins diluée dans de l'eau. À noter que ce produit est surtout utilisé pour des traitements antiseptiques, notamment, localement, sous forme de collutoires et de collyres.

❷

▲ Brou de noix utilisé pur.

❸

▲ Bleu de méthylène + éosine + brou de noix.

❹

▲ Colorant jaune + jus de betterave.

❺

▲ Bleu de méthylène + brou de noix + colorant jaune.

❻

▲ Bleu de méthylène + éosine + brou de noix + colorant vert.

▲ Le modèle à réaliser

L'éosine

Éosine vient du grec *eos* qui signifie « rougeur de l'aube ». C'est une matière colorante obtenue en traitant la fluorescéine par le brome en présence d'alcool. Un mélange contenant de l'éosine (en proportion importante) doit être appliqué en dernier et au sein d'une surface parfaitement sèche, car, très hydrophile, le produit colore et se diffuse particulièrement bien.

❶

▲ Le bleu de méthylène (plus ou moins dilué) donne la couleur des toits. Pour l'arrière-plan et le ciel, nous avons utilisé un mélange bleu de méthylène + éosine + brou de noix + colorant vert

Peindre avec des produits pâteux

Après les produits liquides, abordons les produits pâteux ! Ils sont aussi plus gras et permettent de travailler différemment.

La trousse à maquillage

Les produits de maquillage sont des médiums qui offrent une large palette de couleurs.
Le fond de teint liquide peut être directement appliqué avec un pinceau, plus ou moins dilué dans de l'eau. Le vernis à ongles, quant à lui, peut être dilué avec de l'acétone. Les rouges à lèvres et les crayons pour les yeux ont une texture grasse proche de celle des pastels à l'huile. Vous pouvez les utiliser tels quels, ou dilués avec de l'acétone, du white-spirit ou de l'essence de térébenthine. Les poudres et les fards à paupières peuvent être dilués avec de l'acétone, qui de surcroît fixera les pigments sur le papier.

Astuce

Pour tailler un crayon de maquillage, préférez le cutter au taille-crayon, qui se boucherait rapidement.

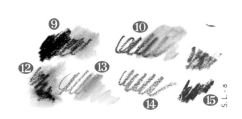

▲ Voici un échantillon de produits de maquillage :
❶ fond de teint liquide,
❷ fond de teint en poudre,
❸ vernis à ongles,
❹-❺-❻-❼-❽ rouges à lèvres,
❾-❿-⓫-⓬-⓭-⓮-⓯ crayons pour les yeux.

▲ Dessin réalisé avec un crayon de maquillage. La mollesse de la pointe du crayon, qui s'écrase facilement, influence la façon de dessiner.

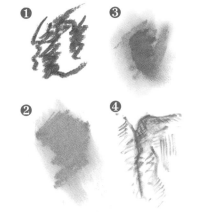

▲ Il existe plusieurs façons de travailler avec du rouge à lèvres :
❶ appliqué directement avec le bâton,
❷ estompé avec le bout du doigt,
❸ frotté avec du papier absorbant,
❹ appliqué avec un pinceau que l'on a chargé de couleur en le frottant sur le bâton.

Le cirage

Vous le trouverez sous trois formes principales : en boîte, en tube ou liquide. Vous avez donc à votre disposition trois consistances différentes.

Vous pouvez aussi jeter un œil du côté des produits d'entretien. Par exemple, le colorant pour daim a une consistance proche de celle de l'encre. Vous pouvez l'utiliser avec un pinceau, plus ou moins dilué dans de l'eau.

Le cirage en tube s'applique très facilement au pinceau brosse. Vous pouvez également utiliser le cirage comme patine.

Les patines au cirage

L'idéal est d'utiliser le cirage en boîte, dont la consistance est très épaisse. Vous pouvez obtenir un rendu brillant en frottant avec une brosse sèche ou une chaussette en laine.

▲ On a réalisé ce motif végétal avec un pinceau brosse, en variant la quantité de cirage sur l'instrument. Le résultat est très graphique.

▼ Le cirage a été appliqué sur l'ensemble du sujet à l'aide d'un papier absorbant (par mouvements circulaires). Les couleurs sont réchauffées et les traits plus sombres ressortent davantage.

Exercices

Pour vous familiariser avec l'utilisation des produits de maquillage et du cirage, nous vous proposons de réaliser quelques exercices simples.

1 : Une pomme au rouge à lèvres

Utilisez un médium tel que le rouge à lèvres est intéressant parce qu'il oblige à travailler dans une gamme de tons très proches les uns des autres. Commencez par une forme simple. Voici, par étapes, la réalisation d'une pomme en trois couleurs.

❶ Avec la couleur la plus claire, dessinez le fruit et colorez-le directement avec le bâton de rouge à lèvres.
❷ Estompez avec le bout du doigt afin d'obtenir un fond coloré homogène.
❸ Appliquez la deuxième couleur (intermédiaire) en crayonnant avec le bâton.
❹ Estompez de nouveau avec le bout du doigt, en laissant des zones claires.
❺ Avec la troisième couleur, crayonnez les parties les plus sombres. Le rouge à lèvres choisi faisant partie de la gamme des « indélébiles », il a l'avantage de marquer facilement.
❻ À l'aide d'un pinceau, travaillez le modelé du fruit en observant les nuances de la peau.

S.L.-a

2 : Un paysage au cirage

Pour réaliser le paysage suivant avec du cirage, il vous faut utiliser trois teintes : noir, brun moyen et marron clair.

S.L.-c

▲ Voici un aperçu de la palette de couleurs du paysage qui nous a servi de modèle.

Portrait en quatre « rouges »

Sur le principe du premier exercice, vous pouvez vous lancer dans un portrait avec trois ou quatre couleurs.

Ce portrait a été réalisé avec les trois ▶ couleurs précédentes, auxquelles on a ajouté, principalement pour les yeux, un brun « indélébile ».

S.L.-b

Pour le ciel, employez un colorant pour daim noir dilué dans de l'eau. Après séchage, pour l'uniformiser, frottez cette partie avec du cirage incolore.

En ce qui concerne la montagne, utilisez le colorant pour daim noir, cette fois pur. Après séchage, il s'agit de nuancer le noir avec du cirage noir en tube (plus dense).

Les sapins, quant à eux, sont peints avec du cirage noir en tube, puis grattés avec une pointe ou la lame d'un cutter, ce qui leur donne un côté graphique.

Pour les herbes, appliquez un cirage marron clair en boîte avec une brosse, et estompez-le avec du papier absorbant. On est intervenu par la suite avec une pointe pour rendre cette végétation plus graphique.

Enfin, pour la zone sableuse à droite, utilisez un colorant pour daim brun moyen, retravaillé avec du cirage marron clair en boîte. Après séchage, frottez légèrement avec une gomme, ce qui permettra de donner de la matière au sable.

S. L. – e

▲ Le paysage réalisé. Pour la finition, nous avons joué sur le contraste mat-brillant en faisant reluire certaines parties à l'aide d'une brosse sèche.

Sur du papier de couleur

Selon le papier que vous utiliserez, le résultat sera très différent, car le grain sera très visible, n'étant pas écrasé par la pointe du crayon.

Nous avons réalisé ce paysage de littoral sur un papier Canson bleu, avec du cirage et différents produits de maquillage.

S. L. – f

◀ Le fond bleu reste présent et donne une tonalité et une unité à l'ensemble. Il permet de travailler de façon plus légère, puisqu'il n'y a pas à se soucier de recouvrir le blanc du support.

S. L. – d

▲ Quelques essais de matières.

Peinture et éléments naturels

Apportez de la matière à votre peinture en lui donnant du grain !
Nous vous proposons de tenter l'expérience en y ajoutant des éléments naturels.

Le sable, le sel et le bois : voici quelques éléments « simples » et peu coûteux qui s'intégreront facilement à la peinture de type gouache ou acrylique. Vous pourrez travailler ces matières au pinceau, au couteau ou à la main, en fonction de vos envies et du résultat désiré.

Pour la fixation sur le support à peindre, nous vous conseillons la colle blanche vinylique.

Retour aux sources

Travailler avec des éléments naturels tels que le sable nous ramène à la fois aux origines de la vie et aux prémices de la peinture. L'expérience de la matière est un vecteur idéal pour nous plonger dans l'art primitif.

Le sable

On ne peut pas parler « du » sable mais « des » sables, avec des grains et des couleurs qui varient selon leur provenance. Le sable peut être utilisé de plusieurs manières. Vous pouvez l'appliquer soit sur une surface que vous aurez au préalable recouverte de colle (vous peindrez ensuite), soit mélangé directement avec la peinture, soit encore en en recouvrant la totalité de la surface et en procédant par retraits.

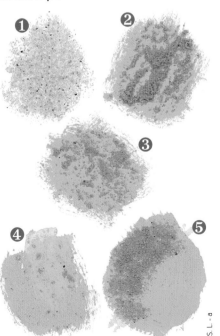

Le sable, naturellement coloré, ▶ modifie légèrement l'aspect des teintes claires (ici, le jaune de cadmium moyen) en les rendant moins lumineuses.
❶ Sable de référence.
❷, ❸ et ❹ En fonction de la quantité de sable utilisée, vous obtiendrez plus ou moins de relief.
❺ Le sable a été saupoudré sur la peinture fraîche et appliqué à l'aide d'un pinceau chargé de la même peinture très diluée.

S. L.-a

Le sel

Vous pouvez remplacer le sable par du gros sel ou du sel fin. Même si trop d'eau lui est fatal, le sel est une matière intéressante à travailler. Une surface peinte à l'aide d'un mélange sel fin / peinture peut être unifiée et matifiée. Il vous suffit de la frotter avec un papier de verre à grain très fin.

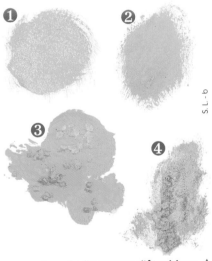

S. L.-b

Le sel a l'avantage d'être blanc, ▲ donc de ne pas modifier la couleur de la peinture. Ses cristaux renvoient la lumière et font scintiller la surface peinte.
❶ Le sel a été saupoudré sur la peinture fraîche. L'excédent est enlevé après séchage.
❷ Sel fin mélangé à la peinture.
❸ Gros sel appliqué sur la peinture fraîche ou intégré à la peinture.
❹ Mélange gros sel - sel fin - peinture pour obtenir un relief important.

Le bois

Vous pouvez l'utiliser sous différentes formes...

La sciure de bois a un rendu de matière moins homogène que le sable et le sel, ce qui peut s'avérer intéressant.

Les épluchures de taille-crayon, collées sur un support avec de la colle vinylique, donnent à la peinture une matière inattendue.

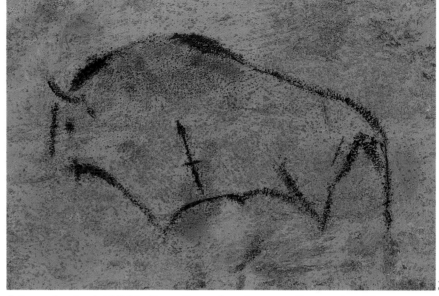

▲ Sur un fond peint à l'aide d'un mélange de peinture acrylique et de sable, nous avons reproduit les contours d'un bison (époque paléolithique) avec un pinceau fin trempé dans de la peinture acrylique noire.

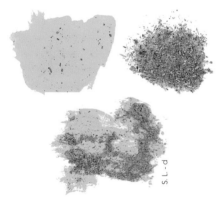

▲ La présence de la sciure de bois reste très marquée : pensez-y pour représenter les nuances d'un sol, par exemple.

Les épluchures ▶ de taille-crayon s'intègrent bien dans un motif décoratif.

Façon céramique

Pour rester dans la représentation animale, nous nous sommes inspirés de l'art de la céramique pour cette figure de lion (Babylone, VIe siècle avant J.-C.).

◀

❶ Le fond a été peint avec de l'acrylique mélangée à du sable.
❷ Le sol est constitué de sable collé sur lequel on a passé un jus coloré.
❸ Le pelage du lion est fait d'un mélange d'acrylique et de sciure de bois.
❹ Pour la crinière, nous avons collé des épluchures de taille-crayon sur lesquelles nous sommes intervenus avec de la peinture acrylique.

Exercices

Le sable est un élément naturel que l'on retrouve fréquemment dans la peinture contemporaine. C'est pourtant vers l'art primitif que s'est porté notre intérêt pour ces exercices.

Travailler avec la matière nous ramène à l'essence de l'art. C'est pourquoi nous vous suggérons de chercher vos modèles dans les encyclopédies et les livres d'art.

Exercice 1

Munissez-vous d'une couleur acrylique (pas trop claire pour conserver le contraste avec le sable), de sable « tamisé » et de colle blanche vinylique.

Le support ne recevant qu'une mince couche de sable, il convient d'opter plutôt pour un carton ondulé épais, que vous peindrez en noir des deux côtés afin qu'il ne se déforme pas.

Reproduisez à main levée, décalquez ou photocopiez les trois personnages (ci-contre).

Reportez ensuite les figures sur le support peint en noir (prévoir deux couches).

Après avoir appliqué la colle au pinceau sur une grande partie du support en laissant les silhouettes en réserve, saupoudrez de sable.

Pour finir, enlevez l'excédent.

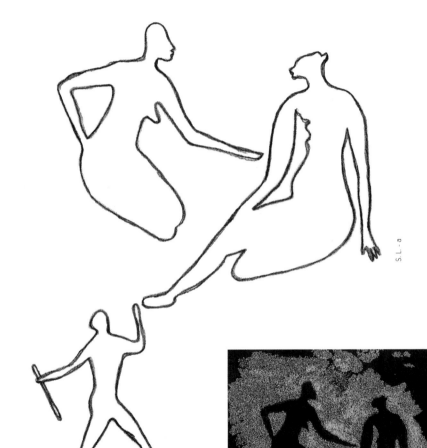

S.L.-a

▲ Les trois personnages sont inspirés d'une peinture rupestre du Tassili (Sahara algérien).

S.L.-b

▲ Le résultat sera plus joli si vous ne recouvrez pas de sable la totalité du support. Le rendu fragmenté donne une fragilité à l'ensemble qu'il nous a semblé intéressant de conserver.

Le matériel

Pour ces exercices, vous aurez besoin d'un minimum de matériel :
• des supports à peindre : Isorel ou carton entoilé ;
• du sable ;
• de la peinture acrylique ;
• de la colle blanche vinylique ;
• des pinceaux de type brosse ;
• un couteau à peindre ou une petite spatule.

Exercice 2

Pour ce deuxième exercice, vous allez travailler le sable mélangé avec de la peinture acrylique pour créer un fond.

Comme dans le précédent, vous allez partir d'un modèle à décalquer et reproduire le bouquetin ci-contre. Le support est de l'Isorel : utilisez-le sur sa face irrégulière afin que la colle adhère mieux. Les couleurs utilisées pour le fond sont : la terre de Sienne naturelle, l'oxyde jaune, le vert de phtalocyanine et le blanc de titane.

Le fond

Appliquez au couteau le sable lié au mélange de peinture.

Une fois le fond sec, grattez certains endroits ou recouvrez-les de jus colorés (terre de Sienne naturelle et noir), afin qu'il ne paraisse pas trop uniforme.

Le bouquetin

Il est impossible de rendre visible le tracé de crayon du calque sur la surface granuleuse du fond. Pour reporter l'animal, coloriez-le (au verso) à l'aide d'un fusain très tendre. Appliquez le calque sur le support et frottez « vigoureusement » le dessin avec un crayon graphite. Reprenez les contours du bouquetin avec de l'acrylique noire et peignez l'intérieur en évitant de noircir uni-

▲ **Le modèle dont nous nous sommes inspirés est un bouquetin peint sur roche (site de Cogull, en Espagne).**

formément afin de donner du volume à l'animal.

Exercice 3

Le masque est un sujet approprié pour des recherches de matières. Nous vous proposons d'en réaliser un avec de la peinture et du sable. Vous pouvez, si vous le souhaitez, vous inspirer du modèle ci-contre.

Sur un support en Isorel, définissez le contour du masque et installez les différents éléments (yeux, nez, bouche) avec de la peinture acrylique (la couleur doit recouvrir l'ensemble de la figure). Recouvrez le masque de colle non diluée, puis de sable.

Avant séchage, tracez les lignes avec une pointe. Vous pourrez ainsi vous rendre compte que la couleur du support réapparaît lors de cette opération.

Donnez du volume aux yeux, à la bouche et au nez en collant

une deuxième couche de sable, puis une troisième. Modelez le nez avec le bout des doigts.

À la peinture, précisez les traits et colorez certaines zones (les yeux et la bouche).

Enfin, peignez le fond en noir afin que le masque s'en détache.

▲ **À partir de ce principe, vous pouvez créer vos propres masques !**

Peinture et éléments végétaux

Nous allons nous intéresser à d'autres éléments naturels qui peuvent apporter de la matière dans la peinture : les formes végétales telles que les feuilles des arbres ou les pétales de fleurs.

Le collage des végétaux

Il est possible de coller les végétaux directement avec de la colle en bâton pour les pétales de fleurs et de la colle en bombe pour les feuilles.

Vous pouvez également utiliser de la peinture acrylique ou un médium acrylique en gel, qui se présente sous forme de pâte blanche et a l'avantage d'être totalement incolore une fois sec.

Végétaux et acrylique

Les feuilles et les pétales de fleurs peuvent également être utilisés pour créer des impressions de motifs.

Pour cela, peignez l'envers de ceux-ci avec de la peinture acrylique non diluée, en couche homogène, et appliquez-les sur le support en pressant avec le bout des doigts.

Vous pouvez évidemment varier les effets en modifiant les techniques d'impression. Inspirez-vous des exemples que nous vous proposons (à droite).

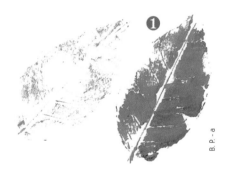

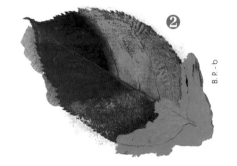

B.P - a

B.P - c

B.P - b

B.P - d

▲ Acrylique et feuilles.
❶ Impressions.
❷ Essais de peinture en couche mince ou épaisse, plus ou moins diluée.

Se constituer un herbier

Si vous souhaitez inclure des végétaux dans vos œuvres, il est préférable de les faire sécher au préalable. Déposez-les entre des feuilles de papier journal et mettez-les sous presse dans un endroit sec.

B.P - e

▲ Acrylique et pétales de rose
❸ Pétale séché (blanc à l'origine).
❹ Impression. La finesse du pétale rend la technique d'impression délicate.
❺ Pétale recouvert de peinture.
❻ Pétale appliqué sur une couche épaisse de peinture.

Variez les éléments

Vous pouvez également chercher l'inspiration dans la cuisine, en utilisant herbes et épices.

La liste des éléments naturels pouvant enrichir la peinture est longue : des plumes, des coquillages, de la paille, des graines... C'est à vous de composer en fonction du sujet que vous choisissez.

▲ Essais de matière avec des feuilles séchées de romarin (en haut) et des graines de cumin (en bas).

Astuces

• Vos plantes d'appartement vous offrent un échantillonnage de feuilles varié dans les formes et les textures. Utilisez-les.

• Pour réaliser des impressions avec des feuilles, utilisez des feuilles fraîches qui ne se casseront pas lorsque vous les presserez sur le support.

Diversifiez les supports

Les impressions de végétaux laissent transparaître le support. Le blanc n'est donc pas toujours judicieux. Vous pouvez choisir des papiers colorés ou opter pour des supports naturels tels que le bois ou le papyrus.

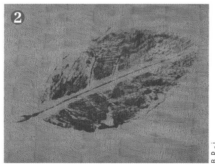

Le jeu des matières est un exercice plaisant parce qu'il permet la fantaisie. Il n'est pas toujours nécessaire de travailler d'après un modèle, mais il est en revanche agréable de se laisser surprendre par le résultat d'expériences successives.

C'est ainsi que sont apparus les nénuphars que nous vous proposons en exemple.

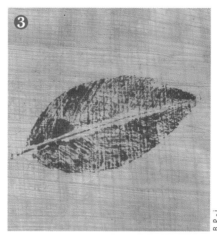

◄▲ Impression de feuille sur trois supports.
❶ Sur du papier Ingres coloré.
❷ Sur du bois (vendu sous forme de feuille servant à la marquetterie).
❸ Sur du papyrus (la trame reste apparente sous la peinture).

◄ Sur un papier coloré, nous avons appliqué librement différentes couleurs (violet, vert, bleu...) plus ou moins diluées, pour représenter l'eau d'un étang. Puis nous avons réalisé des impressions de feuilles (en ocre). Les nénuphars sont faits de pétales de roses collés et rehaussés de blanc.

Exercices

Nous vous proposons de vous lancer dans les impressions et le collage, avec deux sujets bien différents : un nu et un paysage.

Exercice 1

Nous nous sommes inspirés de la *Vénus endormie* de Giorgione, peintre italien du XVIᵉ siècle.

Étape 1

Décalquez le corps de la Vénus. Dans le tableau original, Vénus se repose sur une draperie. Notez les repères de celle-ci pour délimiter la place des feuilles. Reproduisez le dessin sur une feuille de papier Arche. Le travail de peinture à l'acrylique peut à présent commencer.

Étape 2

Peignez le nu en bleu avec un mélange assez dilué (bleu de céruléum + blanc de titane). Reprenez soigneusement les traits de crayon au pinceau très fin (bleu de céruléum).

Étape 3

Nous avons choisi quatre types de feuilles pour les impressions que nous avons effectuées tout autour de la Vénus. Vous êtes libre de choisir d'autres sortes de feuilles. Mais privilégiez la diversité de formes.

Pour notre part, nous avons commencé par la feuille la plus allongée (oxyde jaune), ensuite la feuille à la forme très découpée (terre de Sienne naturelle), puis la feuille de rosier (rouge de Mars). Nous avons fini avec la feuille de bonzaï (mélange des trois autres couleurs + rouge de cadmium moyen).

❶

◄ Si vous ne possédez pas de reproduction de l'œuvre qui nous a servi de modèle, photocopiez ce calque en l'agrandissant et reproduisez-le.

▼ Imprimez vos différentes feuilles et colorez le personnage.

❷

❸

▲ Le choix des couleurs est toujours subjectif. Vous pouvez opter pour d'autres coloris que ceux proposés, en prenant garde toutefois de conserver une harmonie avec le vert sombre des feuilles séchées.

Étape 4

Lorsque vos impressions sont en place, émiettez des feuilles d'arbres séchées afin de les coller. Après avoir appliqué du gel médium à la brosse sur le lit de Vénus, saupoudrez les feuilles émiettées que vous aurez recouvertes d'une couche de gel.

Pour donner du relief à cette masse verte, ajoutez quelques morceaux de pétale de rose (blanc) que vous aurez colorés en partie (terre de Sienne naturelle et rouge de cadmium moyen). Enfin, ajoutez quelques touches de vert de Hooker.

▲ Voici sur calque les éléments mis en place au départ.

▲ Détail du saupoudrage de feuilles émiettées qui forment la couche de Vénus.

Exercice 2

Nous vous proposons d'explorer un autre sujet : le paysage. Le paysage de campagne, riche en végétation, se prête bien à des essais de matières.

Étape 1

La structure de notre modèle est volontairement simple. Servez-vous du calque pour répartir les masses : ce sera votre base.

Étape 2

Cette peinture a été réalisée sur bois, ce qui donne un effet de matière particulier au ciel.
La partie non peinte, à gauche, vous permettra de mieux observer les matières en présence. Elles sont diverses : feuilles d'arbre, sable, sciure de bois, graines de cumin, feuilles séchées de romarin, fleurs de lavande et de thym.
Les arbres à l'arrière-plan sont en feuilles d'arbres séchées. Découpez ces dernières en suivant la nervure principale, puis déchirez-les délicatement pour leur donner forme.
Pour le collage, utilisez du gel médium.

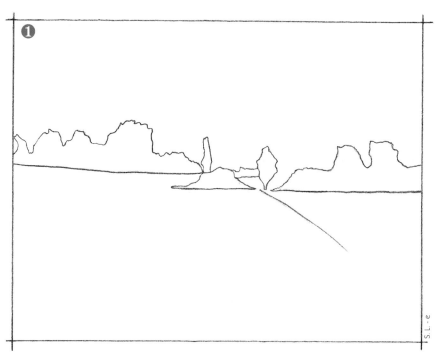

▲ Pour la peinture, utilisez un vert de base (ici, le vert de Hooker), que vous modifierez par des mélanges. Si vous n'osez pas vous lancer sans modèle, inspirez-vous des couleurs d'une photo ou d'une carte postale de champs.

La peinture à la cire

La peinture à la cire (ou peinture à l'encaustique) consiste à mélanger des pigments à de la cire d'abeille fondue.

La cire est une des techniques de peinture qui résiste le mieux au temps. Sa matière permet une large gamme d'effets. Elle peut être lustrée avec un chiffon pour avoir un aspect brillant. Vous trouverez de la cire d'abeille naturelle en bloc ou en grain. Sa coloration jaune a très peu d'influence sur la couleur du pigment.

Le matériel

La pratique de la peinture à la cire implique l'utilisation d'un matériel approprié afin de chauffer et de conserver les ingrédients de la peinture à bonne température. Aussi devez-vous vous procurer :
• un réchaud à gaz ;
• une plaque rectangulaire en fer ou en acier ;
• un sèche-cheveux ;
• un fer à souder électrique ;
• des petits moules en aluminium (conditionnements de certains desserts).

▲ Votre matériel.

La préparation

Faites fondre la cire au bain-marie afin qu'elle ne brûle pas. Versez la cire liquide dans les petits récipients que vous aurez disposés au préalable sur la plaque chauffée. Ajoutez-y les pigments en mélangeant bien.

▲ La proportion pigments/cire dépendra du degré d'opacité que vous souhaitez obtenir.

Les spécificités

La peinture à la cire est généralement appliquée par petits coups de brosse, car lorsqu'il est posé sur un support froid, ce médium se fige rapidement.
Sur les essais suivants, vous pouvez constater les particularités de cette technique.

❶

❷

❸
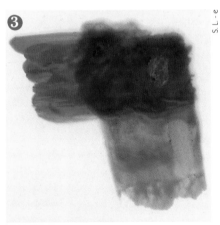

❹

❶ et ❷ La quantité de pigments dans la cire a une influence sur l'opacité de la couleur et sa qualité. Vous pouvez le constater en comparant ces deux taches.
❸ Vous avez la possibilité de faire fusionner deux couleurs en les chauffant à l'aide d'un sèche-cheveux.
❹ Vous pouvez utiliser un fer à souder électrique (chaud mais débranché) pour mélanger les couleurs ou pour graver dans la cire. Dans la partie droite, nous avons raclé la surface à l'aide d'une lame de cutter. Vous pouvez ainsi jouer sur les épaisseurs de peinture et la matière.

Un arbre à la cire

Ici, nous avons exploité toutes les caractéristiques décrites précédemment. Sur un carton fort, nous avons appliqué deux couleurs par petites touches à l'aide d'une brosse pour créer un fond. Ce fond a ensuite été chauffé avec un sèche-cheveux et raclé à l'aide d'une lame pour obtenir des effets de matière.

▲ L'effet obtenu pour le fond fait penser à une mosaïque.

Après avoir mis en place la structure d'un arbre, nous sommes intervenus avec un fer à souder, afin de liquéfier la couleur et d'affiner les branches.

◄ On s'occupe à présent du tronc et des branches de l'arbre, en liquéfiant la couleur grâce au fer à souder.

Nous avons peint le feuillage par petites touches puis nous l'avons soigneusement travaillé avec un fer à souder. Nous sommes intervenus avec une lame de cutter pour jouer sur les épaisseurs et donner du relief à l'arbre par rapport au fond.

▲ Voici l'arbre finalisé. La technique de la peinture à la cire est idéale pour créer un effet de profondeur.

Astuces

Si vous souhaitez obtenir une surface de peinture plus dure, ajoutez à la cire d'abeille environ 10 % de cire de carnauba foncée.
Utilisez des brosses en soie. Elles résisteront mieux que des brosses synthétiques. Avant d'appliquer une couleur sur votre support, mélangez-la, car, au bout d'un certain temps, les pigments ont tendance à tomber au fond du récipient.

Exercices

À travers trois exercices mettant en pratique trois méthodes de travail, nous vous proposons de vous familiariser avec la peinture à la cire.

1 : Les couches successives

Vous pouvez superposer les couches de couleurs et utiliser de la peinture acrylique pour donner du relief à un élément. Le sujet de ce premier exercice est un poisson dans l'eau.

Peignez un fond avec trois couleurs (deux bleus et un vert) par touches rapides.

Chauffez ce fond avec un sèche-cheveux et raclez avec une lame afin d'aplanir les reliefs.

▲ Première étape.

Ensuite, peignez le poisson avec du blanc de titane.

▲ Deuxième étape.

Recouvrez le blanc de cire colorée (jaune et rouge).

Utilisez aussi le jaune pour recouvrir partiellement le fond. Après séchage, raclez la surface avec une lame.

▲ Dernière étape.

Bon à savoir

Pour nettoyer vos brosses après leur passage dans la peinture à la cire, utilisez de l'essence « F » ou de térébenthine.

2 : Les petites touches

La cire chaude, lorsqu'elle est appliquée sur un support froid, se fige rapidement. Il est alors difficile de travailler ce médium en longs traits. La façon la plus courante de peindre à la cire est donc de peindre par petites touches. On peut néanmoins obtenir des traits en travaillant vite avec un pinceau à poils longs ou en chauffant le support.

Pour l'étude de jardin ci-contre, travaillez de façon très libre, en jouant sur la manière d'appliquer la peinture.

Réalisez tout d'abord le fond, en partant des tons clairs et moyens vers les tons sombres.

Traitez le jardin de deux façons : la partie en haut à droite, aux traits, avec un pinceau à poils longs ; celle à gauche, en écrasant la brosse chargée de cire sur le support.

Puis mettez en place le premier plan : ici, les branches d'arbres, avec une couleur brune.

Disposez enfin les taches rouges du feuillage.

Terminez par quelques coups de cutter sur les branches.

▼ L'impression de flou est rendue par la variation des coups de pinceau.

▲ Côte à côte,
les deux traitements du fond.

▲ Les petites touches se juxtaposent
ou se superposent.

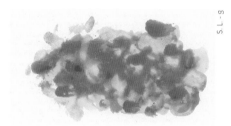

▲ En utilisant un fer à souder électrique,
vous pouvez faire varier les effets
de matière et faire fusionner les couleurs
entre elles pour obtenir quelque chose
de plus léger ou de plus flou.

3 : Le dessin dans la cire

En partant d'un dessin, vous pouvez utiliser la cire comme matière à graver. Le procédé est très simple.
Recouvrez un carton fort d'une couche de cire teintée assez épaisse. Pour que la surface ne soit pas trop irrégulière, utilisez une brosse assez large et appliquez deux couches de cire, l'une horizontale et l'autre verticale. Munissez-vous d'une pointe métallique et gravez dans la cire le dessin de votre choix. Nous avons opté pour un village.

▲ À l'aide d'une pointe métallique,
dessinez en gravant dans la cire.

Recouvrez uniformément la partie dessinée d'une couche de cire colorée bleue. Patientez un peu que la cire sèche.

▲ Le dessin est recouvert d'une couche
de cire bleue.

Récupérer les mélanges

Lorsque vous éteindrez votre réchaud, le mélange cire/pigments se figera rapidement. Remuez donc celui-ci avant qu'il ne se fige, afin de répartir les pigments. Lorsque la cire se sera solidifiée, vous pourrez vous en servir pour réaliser des dessins à la façon de pastels. Il faut néanmoins que les mélanges soient suffisamment pigmentés pour obtenir des couleurs d'une belle qualité.

Dégagez progressivement le dessin à l'aide d'une lame. La cire bleue reste présente dans les creux formés par la pointe. Vous pouvez répéter toute l'opération pour ajouter, par exemple, d'autres couleurs.
À vous de jouer ! Et, surtout, faites preuve d'inventivité.

▲ En grattant avec une lame, le dessin sous-jacent tracé à l'aide d'une pointe métallique
réapparaît, en bleu sur fond rouge.

Le monotype à l'huile

Riche en possibilités, le monotype à l'huile, technique moins onéreuse que la gravure, permet cependant une impression graphique relativement comparable.

Faire de la gravure requiert un important matériel, à la fois encombrant et fort cher. C'est le cas pour l'eau-forte (sur métal), la gravure sur bois et la lithographie. Seule la linogravure ne demande qu'un matériel assez simple et... pas mal « d'huile de coude » ! Cependant, si vous recherchez dans votre travail l'impression graphique de ces techniques, il vous est possible de recourir au monotype. En effet, cette technique, qui a été utilisée avec bonheur par de nombreux artistes disposant d'une presse à gravure – tel qu'Edvard Munch –, peut très bien s'adapter chez n'importe qui avec un matériel des plus rudimentaires.

Comment procéder

Posez la plaque de verre bien à plat sur une table, sur un fond clair. Ayez à portée de main une petite palette pour les couleurs et un pot de white-spirit pour nettoyer les pinceaux et la plaque. Badigeonnez de peinture à l'huile un espace rectangulaire au centre de votre plaque. Vous pouvez utiliser différentes couleurs. L'important est de ne pas laisser d'espace non couvert. Quant à la consistance de la peinture, c'est affaire d'expérience : elle doit s'étaler facilement mais surtout ne pas être trop liquide.

Ensuite déposez, avec le plus de précaution possible, une feuille de papier sur la plaque. Maintenez la feuille afin qu'elle ne glisse pas, éventuellement à l'aide de deux petits morceaux de Scotch. Prenez alors un crayon, ou n'importe quel objet pointu, et dessinez votre motif en prenant soin que votre main ne touche pas le papier.

Lorsque votre dessin vous semble suffisamment abouti, soulevez doucement votre feuille et découvrez de l'autre côté l'empreinte de votre dessin. Vous pouvez remarquer que des petites taches de peinture apparaissent çà et là : c'est ce qui donne sa trame et sa profondeur à votre dessin.

Le matériel

- Une plaque de verre : la vitre d'un simple « sous-verre » fera parfaitement l'affaire ;
- quelques petits tubes de couleur à l'huile ;
- un pinceau plat et doux ainsi qu'un tout petit pinceau en poils de porc ;
- une palette ou une assiette plate ;
- un outil plat et métallique : une spatule, par exemple ;
- du white-spirit et un chiffon ;
- de nombreuses feuilles de papier très fin de format 1/4 raisin (une feuille 65 x 50 cm coupée en quatre).

B.P. - a

▲ Voici notre exemple. À ce stade, le dessin est brut et sans relief.

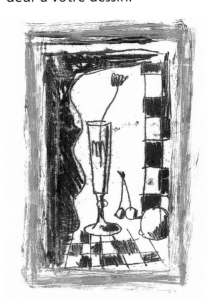

B.P. - b

▲ Le dessin apparaît inversé. Des taches de peinture lui donnent de la profondeur.

Sans plus attendre et sans toucher à votre plaque, déposez une nouvelle feuille et appuyez fortement à l'aide d'un outil métallique et plat (qui n'abîme pas le papier) sur toute la surface du motif. Décollez votre feuille : vous verrez alors apparaître le négatif de votre précédent monotype.

▲ Le motif apparaît cette fois en négatif.

Exemple de variante

On a pris un dessin exécuté depuis un certain temps sur un papier léger. Après avoir appliqué une feuille blanche sur la couleur, on a posé le dessin par-dessus, puis, à l'aide de la pointe du manche du pinceau, on a « repassé » les lignes du motif pour obtenir un monotype qui en est la copie inversée. On a ensuite nettoyé la plaque pour y déposer des taches de couleur abstraites. On a posé et fortement appliqué une nouvelle feuille sur ces dernières, puis on l'a décollée.
On a repassé une couche de peinture sombre sur la plaque

▲ Dessin de base, sur papier léger

▲ Le premier monotype est l'image inversée du dessin de base.

pour y poser la feuille colorée avec, par-dessus, le dessin original, dont on a repassé les lignes.

Découvertes

Nous ne vous suggérons, ici, que quelques possibilités du monotype : à force de pratique, vous ferez des découvertes qui vous seront propres et pourrez obtenir, à partir d'un seul et même dessin, de nombreux rendus différents.

Choisissez la simplicité !

Le meilleur atout de cette technique est la spontanéité. Aussi ne choisissez pas un motif trop compliqué et long à réaliser : la forme doit rester assez brute car c'est la matière qui apporte la richesse et l'originalité.

▲ Le deuxième monotype, avec ses taches de couleur.

▲ Vous pouvez, ainsi, multiplier les passages : c'est peut-être le procédé qui ressemble le plus à la lithographie.

Exercice

Nous vous proposons ici de réaliser des images variées à partir d'un dessin de base très simple. À cet effet, puisez dans vos réserves un dessin que vous n'avez jamais eu l'occasion d'exploiter.

Cet exercice va vous démontrer que le monotype peut transfigurer une ébauche que vous jugiez médiocre et vous entraîner vers de nouvelles pistes. Un recyclage, en quelque sorte. Si le dessin choisi n'a pas été réalisé sur un papier assez fin, recopiez-le librement et lancez-vous ! À présent, suivez le pas à pas.

1 : Repassez sur les lignes

Installez votre matériel à proximité et faites des provisions de feuilles de papier. Badigeonnez la plaque de verre à l'aide du pinceau et déposez doucement une feuille par-dessus, puis appliquez votre dessin original sur la feuille.

Avec un objet pointu quelconque, comme le bout du manche du pinceau, « repassez » sur les lignes de votre dessin.

Puis, en employant un outil plat métallique, appuyez à certains endroits autour de votre motif, afin de créer un « fond ».

Enlevez votre dessin original, puis soulevez délicatement votre monotype. L'effet obtenu doit se rapprocher de celui de l'exemple ci-dessous.

2 : Appliquez une autre feuille

Sans toucher à la peinture restant sur votre plaque, posez de nouveau une feuille et appuyez fortement avec l'objet métallique afin d'imprimer toute la peinture.

Décollez votre feuille : vous obtenez le négatif de votre précédente image. Non seulement elle est inversée par rapport au modèle, mais les zones initialement blanches deviennent en couleurs tandis que les traits et le fond colorés deviennent blancs.

▲ Notre modèle. Bien entendu, vous n'êtes pas obligé d'opter pour un portrait.

B.P.-b

▲ La couleur s'est déposée sur les traits du dessin ainsi que sur le fond.

B.P.-c

▲ L'image apparaît en négatif.

124

3 : Changez les couleurs

Nettoyez votre plaque avec du white-spirit et un chiffon, et déposez de nouvelles couleurs de manière complètement arbitraire. À cette occasion, votre peinture peut être un peu plus liquide. Posez une feuille et appliquez-la le plus fermement possible. Décollez : vous obtenez un nouveau fond coloré.

▲ Voici de nouvelles couleurs qui vont « égayer » votre fond.

4 : Intégrez votre motif

Cette fois, sans nettoyer votre plaque, posez un badigeon très sombre et uniforme.
Déposez délicatement la feuille que vous avez obtenue à l'étape précédente, puis, par dessus, votre dessin original.
Avec votre objet pointu, repassez à nouveau sur les lignes du dessin. Décollez votre nouvelle épreuve.

Si vous ne parvenez pas immédiatement au résultat escompté, ne vous découragez pas ! La patience est toujours récompensée. Changez plutôt la consistance de votre peinture ou bien encore vos outils.
Essayez aussi de « recycler » les feuilles ratées : de bonnes surprises peuvent vous attendre...

▲ Votre dessin vient s'inscrire, avec une couleur sombre, dans votre fond coloré.

La linogravure : cours pratique

Contrairement au monotype, la linogravure va vous permettre de créer des multiples, tous identiques mais tous différents, d'une même image.

Le matériel

- Une plaque de lino, d'un format assez réduit, que l'on peut trouver dans les magasins de beaux-arts. Ces plaques sont un peu plus épaisses que celles que l'on utilise pour les sols et sont pourvues au dos d'un chaînage de toile de jute. À défaut, une plaque de lino courant peut fort bien faire l'affaire ;
- une série de gouges de formes variées : droite (comme un cutter), en forme de V, semi-circulaire. Ces outils peu onéreux sont adaptés au lino, mais de petites gouges servant aux sculpteurs sur bois peuvent aussi être recommandées ;
- une « pierre à huile » pour affûter vos outils ;
- des encres en tube de couleurs différentes. Ces encres peuvent être aqueuses, auquel cas le matériel se nettoie à l'eau, ou bien grasses, et dans ce cas le matériel se nettoie à l'essence. Pour un début, nous vous conseillons les premières ;
- du papier fin, blanc ou coloré ;
- un petit rouleau encreur en caoutchouc dur ;
- une petite plaque de verre ;
- un rouleau à pâtisserie.

Pour pouvoir profiter des possibilités graphiques qu'offre la linogravure, il ne vous sera pas nécessaire de posséder le lourd et très onéreux matériel du graveur traditionnel.

C'est ce qui fait tout l'attrait de cette technique, qui a cependant su plaire à un artiste comblé tel que Picasso, qui l'utilisa avec bonheur.

Nous vous proposons ici un parcours pratique qui, étape par étape, vous fera suivre en images l'élaboration d'une gravure.

La marche à suivre

Étape n° 1

Poncez votre plaque de lino avec un papier de verre très fin, puis passez une petite couche de gouache blanche sur toute la surface. Cette opération a pour but de rendre plus clair le dessin que vous vous proposez d'y tracer.

Une fois la gouache bien sèche, utilisez un pinceau fin et de l'encre de Chine pour dessiner votre motif.

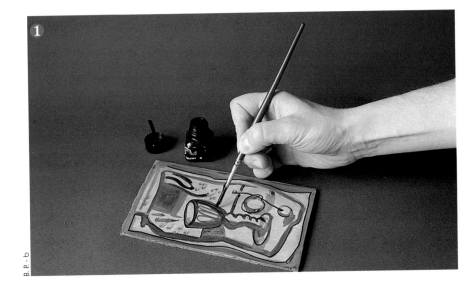

◄ Après avoir préparé la plaque, dessinez votre motif à l'encre de Chine à l'aide d'un pinceau fin.

126

Étape n° 2

À l'aide des différentes formes de gouges dont vous disposez, creusez les parties qui ne devront pas être imprimées, c'est-à-dire toutes celles où la gouache blanche est apparente. Ne creusez pas trop profondément : il n'est pas utile d'aller jusqu'à la trame toilée de votre plaque. Essayez d'être spontané en vous laissant guider par votre outil. Conservez des parties non entamées si elles vous semblent pouvoir être intéressantes.

Si tel n'est pas le cas, il vous sera toujours possible de les retirer après avoir effectué une épreuve d'essai.

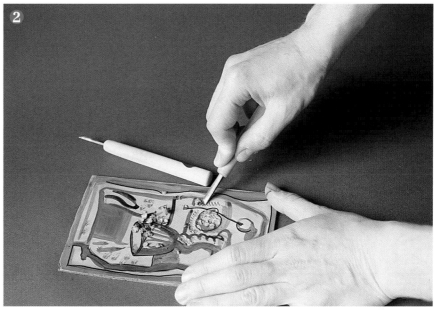

▲ Avec les différentes gouges dont vous disposez, gravez les parties recouvertes de gouache blanche, qui ne seront pas imprimées.

Étape n° 3

Nettoyez votre plaque avec une éponge humide. Prenez une petite plaque de verre et déposez-y une noix d'encre, que vous étalerez à l'aide de votre rouleau en caoutchouc dur. En règle générale, il n'est pas utile de diluer cette encre. L'expérience vous fera choisir la bonne quantité et la bonne consistance qu'elle doit avoir sur votre rouleau : ni trop, ni trop peu !

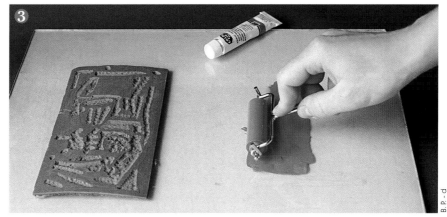

▲ Posez une certaine quantité d'encre sur la petite plaque de verre.

Étape n° 4

Étalez l'encre sur votre plaque. Prenez votre temps : toutes les parties doivent être parfaitement encrées. Rechargez régulièrement votre rouleau sur la plaque de verre.

Bon à savoir

Choisissez au début un motif très simple, qui peut s'exprimer avec des traits grossiers. La linogravure prend tout son intérêt lorsque l'on ne recherche pas des subtilités excessives : il faut laisser cela à l'eau-forte.

▲ Avec le petit rouleau encreur, déposez l'encre uniformément sur votre plaque et le motif.

Étape n° 5

Déposez délicatement une feuille de papier assez fin sur votre plaque : il ne faut pas qu'elle glisse lorsqu'elle sera au contact de l'encre. Une fois en place, pressez la feuille avec le plat de votre main pour bien la faire adhérer.

Posez délicatement une feuille ▶
de papier sur la plaque gravée et encrée.

Étape n° 6

Utilisez un rouleau à pâtisserie ou tout autre objet dur et plat afin de presser le plus fortement possible le papier contre la plaque. En principe, vous devez voir apparaître légèrement en filigrane votre motif au travers du papier si celui-ci n'est pas trop épais. Aux endroits où il y a de fins détails, il vous est également possible d'exercer des pressions localisées avec la partie ronde d'une cuillère à soupe.

Appuyez sur le dos de la feuille ▶
pour que le motif s'imprime.

Étape n° 7

Décollez votre épreuve. Avec délicatesse, bien sûr !

Décollez votre épreuve délicatement. ▶

Calme et délicatesse

La linogravure rend mieux sur papier fin. Ce qui suppose qu'on le manie délicatement, que ce soit pour l'appliquer et l'appuyer, ou pour le retirer après encrage. D'une façon générale, si la linogravure n'est pas difficile, elle réclame de la patience et de la précision. À bon entendeur, salut.

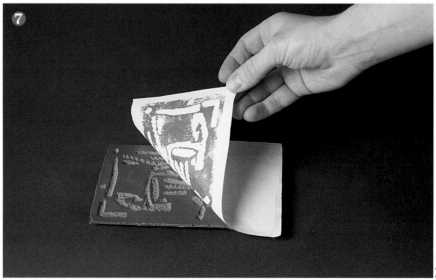

Question de sens

Le fait que le dessin apparaisse en sens inverse sur l'épreuve est un peu déroutant au début. Si vous voulez absolument rendre un paysage ou un décor précis, il vous faudra décalquer votre dessin, pour le reporter en sens inverse sur la plaque : ainsi, il apparaîtra tel que vous le connaissez.

Étape n° 8

Le dessin apparaît en sens inverse de celui que vous avez gravé sur la plaque. Analysez ce qui pour-rait être amélioré au niveau de l'encrage et aussi du dessin, à proprement parler.

▲ C'est le stade où il convient d'analyser ce qui peut éventuellement faire l'objet d'une amélioration.

Finitions

Avec la première figure, vous avez sous les yeux ce que l'on nomme un premier état et, avec la seconde, un état définitif. Entre l'une et l'autre, on a ajouté de fins détails qui rendent l'image plus graphique et on a également changé la couleur de l'impression.

À partir de cet état définitif, il vous est possible de procéder à une série de tirages tous identiques et numérotés. Ou encore de varier à l'infini les jeux de couleurs, du papier et de l'encre. Mais c'est une autre histoire…

▲ Premier état.

▲ État définitif.

Les collages papier

Le collage n'est pas seulement un jeu d'éveil, réservé aux enfants. C'est aussi une technique qui offre des libertés intéressantes ainsi que des styles très variés.

Le matériel

Le support

Vous devez utiliser pour le collage un support suffisamment rigide : contreplaqué fin, Isorel, carton épais... La colle, en séchant, peut tirer sur le support, il est donc indispensable que celui-ci puisse résister à cette tension. Vous pouvez vous servir également d'un papier fort, si vous le tendez, humide, avec du kraft gommé.

Les papiers

À priori, tous les papiers légers peuvent être utilisés : papier de soie, mousseline, emballage recyclé, kraft, fantaisie, de reliure, journaux, magazines, papiers colorés par vous-même au crayon ou à l'encre... et, si votre support est suffisamment résistant, vous pouvez utiliser des papiers plus forts, même du papier peint. Le choix est donc bien vaste ! Une règle : ne tentez pas de coller un papier trop épais sur un support trop léger.

La colle

Vous avez le choix entre :
• la colle blanche liquide vinylique, type colle à reliure à passer au pinceau brosse plat ; veillez à ce que vos papiers se tendent bien en séchant ;
• la colle en bombe pour montages définitifs, qui a l'avantage de ne pas humidifier les papiers et donne des collages très propres ;
• la colle en bâton, type colle d'écolier, peut également convenir, car elle n'humidifie pas trop le papier.
Elle est idéale pour les petites surfaces délicates.

La découpe du papier

Ciseaux à papier, ciseaux à découpage délicat (à broderie), cutter fin, scalpel, découpe à la main, tous sont valables. Chacun donnera un style particulier au collage, comme le montrent les deux exemples ci-dessous.

Le papier a été découpé aux ciseaux à papier.

Ce papier a été déchiré à la main.

Ces deux collages ont été réalisés sur un carton épais avec des papiers recyclés de couleurs diverses.

Les petits collages ci-dessous sont réalisés à partir de découpages de magazines : photos de rochers, de mer, de ciel, et de petits éléments.

▲ On joue sur les différences d'échelle : la très petite taille du bateau fait paraître les rochers énormes. Cette différence d'échelle génère une atmosphère fantastique.

▲ L'arbre a été découpé dans une photo d'une zone de feuillage plus grande. Sa présence sur le rocher, comme celle de la maison, rend le paysage un brin irréel.

La réalisation

Il existe deux méthodes pour réaliser des collages.

Méthode 1

Découpez vos papiers et organisez votre composition sur une feuille du même format que celui de votre support, sans coller. Retaillez au fur et à mesure, si besoin est, pour affiner.

Une fois la composition choisie, prenez un à un vos découpages et collez-les sur leur support définitif, en suivant le modèle.

Méthode 2

Vous pouvez vous aider d'un calque pour préparer les formes à découper et les placer.

❶ Dessinez votre composition sur une feuille. Éventuellement, colorez-la grossièrement pour juger de l'effet. Puis posez un calque et tracez les formes des découpages.

❷ Repassez les traits de votre calque avec un crayon gras 4B ou un crayon blanc si l'envers du papier destiné au collage est sombre.

❸ Retournez votre calque et posez-le tour à tour sur les papiers choisis, eux aussi placés sur l'envers.

Avec un crayon à mine dure H bien taillé, passez en appuyant, sur la partie du dessin inversé qui vous intéresse.

Découpez le papier selon le tracé obtenu, retournez votre forme, qui sera, selon cette méthode, exempte de toute trace de crayon.

❹ Après avoir découpé vos formes, fixez votre calque au ruban adhésif sur votre support, sur un seul côté, de façon à pouvoir le soulever.

Encollez vos découpages et fixez-les sur votre support en vous servant du calque pour vous guider.

Vous pourriez également redécalquer la composition sur votre support, mais des traces de crayon risqueraient de rester apparentes.

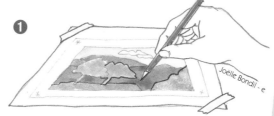

❶

▲ Dessinez votre composition, posez un calque par-dessus puis repassez les formes sur ce dernier.

❷

▲ Repassez les traits sur l'envers de votre calque à l'aide d'un crayon gras 4B et d'un crayon blanc.

❸

▲ Avec un crayon à mine dure H bien taillé, transférez les formes sur l'envers du papier choisi.

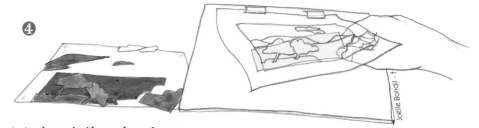

▲ Après avoir découpé vos formes, aidez-vous du calque pour les recoller sur le support choisi.

L'installation

Si vous avez décidé de reproduire une photo, une peinture, un dessin, posez votre modèle en face de vous à la verticale. Si vous voulez représenter un paysage, asseyez-vous face à lui.

Inclinez légèrement le support et, tout en regardant votre modèle, déchirez ou découpez vos papiers.

Astuce

Le collage vous permet de reproduire un sujet. Mais vous pouvez aussi laisser libre cours à votre imagination et vous laisser guider par vos associations d'idées, pour créer un paysage très personnel.

Exercice

Voici une autre façon de rendre le jeu
des couleurs dans les calanques de Cassis.
Avec des papiers aisément trouvables...
et quelques coups de ciseaux habiles.

Le matériel

- Des crayons : H, H, B, 4B (à remplacer par un crayon blanc pour les couleurs sombres) ;
- du papier-calque 110 g (environ);
- des crayons de couleur ;
- une feuille de papier à dessin;
- des papiers de couleur ;
- du carton épais comme support du collage (non ondulé) ;
- un cutter fin, de la colle en bombe ou en stick, du ruban adhésif (si possible repositionnable), un carton de protection pour la découpe (non ondulé).

La réalisation

❶ Un calque fixé sur la photo, cherchez au crayon HB les lignes principales et les formes qui constitueront la composition de votre futur collage (la mer, les zones rocheuses ou herbeuses, etc.). Cadrez votre dessin.

▲ La calanque de Sormiou.

❷ Décalquez cette composition sur la feuille de papier (ou photocopiez-la) et cherchez vos couleurs et nuances (clair et foncé) avec des crayons de couleur. Vous pouvez modifier les teintes selon vos goûts.

Bon à savoir

Dès le dessin préparatoire, vous déterminerez l'ordre chronologique du montage et la forme des éléments (même dans leur partie cachée).

Gamme de papiers

Voici dans quelle gamme nous avons choisi nos papiers. À vous de trouver ce qui pourrait se rapprocher de ce que vous avez déjà, en variant la gamme, si vous le souhaitez.

❸ À partir de votre dessin au crayon, tracez un premier calque comportant les formes à découper pour la première étape de réalisation du collage. Commencez par les fonds et les plus grandes surfaces. Décalquez ces formes sur vos papiers de couleur. Découpez-les au cutter très soigneusement et collez-les sur votre support en carton.

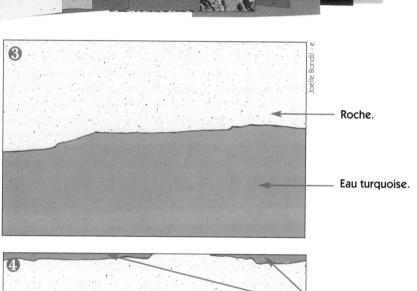

❸

Roche.

Eau turquoise.

❹ Procédez de même pour l'étape suivante.

Nous avons déjà plus de parties de détails et des surfaces moyennes.

Si vous prenez un papier sombre comme le bleu foncé du collage, pensez à retracer votre calque au crayon blanc : le crayon 4B sera invisible sur une couleur trop sombre.

❹

Ciel bleu clair.

Verdure moyenne.

Bleu foncé.

Roche.

❺ Finissez par les premiers plans et le vert plus sombre du fond. À ce stade, il est possible d'ajouter des éléments si vous trouvez la composition trop abstraite, par exemple, quelques-unes des maisons qui sont présentes sur la photo. La superposition des couches rend bien la distance entre les éléments du paysage.

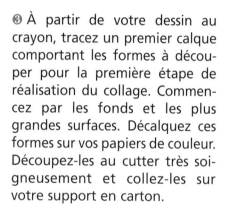

❺

Verdure foncée.

Verdure claire.

Les techniques mixtes

Techniques mixtes et médiums

L'association de différents matériaux est une manière attrayante de travailler et une excellente façon de parfaire sa connaissance des médiums.

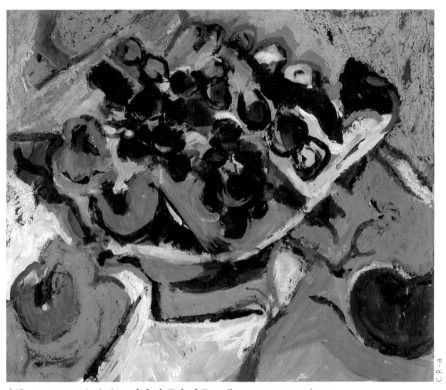

▲ Cette coupe de fruits a été réalisée à l'acrylique et au pastel gras.

Le métier de peintre s'apprend patiemment. Acquérir la maîtrise des matériaux et des techniques, qui se sont affinées au cours des siècles, est l'un des premiers objectifs à atteindre quand on débute. Pourtant, ce qui singularise chaque artiste est sa capacité d'innovation. Ce cours est l'occasion de faire le point sur différentes techniques, certaines acquises depuis longtemps et déjà testées, d'autres moins usuelles.

L'utilisation des médiums

Les médiums recouvrent une grande diversité de produits. Incorporés à la couleur en cours de travail, ceux-ci modifient le comportement ou l'aspect de cette dernière. Que l'on veuille assouplir la consistance d'une couleur, en renforcer la brillance ou parfois même simplement exécuter un lavis, l'utilisation de médiums est bénéfique. Si l'emploi de ceux-ci est couramment associé à la peinture à l'huile, il existe des produits spécifiques aux techniques à l'eau comme l'aquarelle ou l'acrylique. Étudions les propriétés des médiums les plus courants.

Le médium à peindre

Il sert à fluidifier les couleurs et à éliminer les traces de pinceau, tout en conservant la qualité du pigment.

Le médium de transparence

Utilisé pour réaliser un glacis, il permet d'appliquer une couche de couleur transparente sur une couleur opaque.

Le médium d'empâtement

Mélangé directement à la couleur, il permet d'obtenir un empâtement épais.

Les médiums de brillance ou de matité

Additionnés au diluant (eau ou térébenthine), ils rendent les couleurs plus éclatantes ou, au contraire, plus mates.

Le siccatif

Additionné au diluant (huile de lin ou essence de térébenthine), il accélère le séchage des couleurs à l'huile.

Le retardateur

C'est le pendant du siccatif, pour la peinture acrylique. En retardant le séchage des couleurs, il permet de travailler « dans le frais » plus longtemps.

Le vernis à retoucher

Utilisé avec la peinture à l'huile, il permet de travailler sans risque sur des couleurs encore fraîches.

Des matériaux insolites

Outre les médiums, il est possible d'incorporer dans l'élaboration d'une œuvre les matériaux les plus insolites. Certains interviennent dans la préparation du support, d'autres sont mélangés directement à la couleur.
Voici quelques exemples de textures qu'il est possible d'obtenir en utilisant des produits usuels.

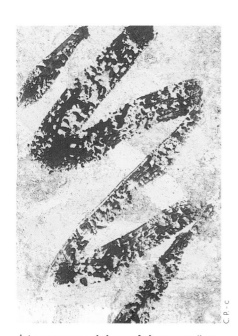

▲ Le support a été apprêté avec un liant acrylique (le gesso) et de la sciure.

▲ À la place de la sciure, on a utilisé du sable.

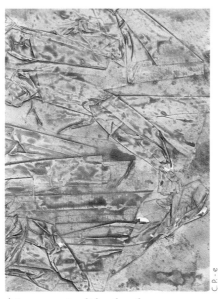

▲ Le support a été préparé avec des feuilles de cigarette et du gesso.

Bon à savoir

La tempera à l'œuf est un médium utilisé depuis plusieurs siècles. À partir d'une émulsion d'eau et d'œuf, on obtient un médium particulièrement résistant aux outrages du temps. Il peut être utilisé comme liant si on le mélange à des pigments. Mais c'est également un excellent médium à peindre, qui peut être combiné avec l'acrylique ou l'aquarelle.

Combiner les techniques

Tous les matériaux de peinture conviennent aux techniques mixtes. Les possibilités sont infinies.

▲ Fusain et pastel.

▲ Pastel et encre.

▲ Acrylique, pastel et encre.

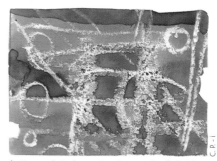

▲ On a réalisé un dessin en cire à l'aide d'une bougie. Puis on l'a recouvert d'encre.

Exercice

Combiner un médium à base d'eau avec du pastel à l'huile est une des manières les plus spectaculaires d'aborder les techniques mixtes.

Dans cet exercice, nous vous proposons de réaliser une interprétation libre d'une vue du golfe de Sainte-Maxime, en combinant deux matériaux *a priori* non compatibles : l'acrylique et le pastel gras.

Étape 1

Appliquez une couche de gesso (liant acrylique) colorée pour donner une meilleure tenue au papier. Tracez à la plume les grandes lignes de votre paysage.

On obtient la couleur du fond en ▶ mélangeant le gesso avec un peu de vert émeraude et une pointe de violet.

Étape 2

Mettez en place la tonalité générale du tableau à l'aide de couleurs très diluées.

◀ À ce stade du travail, le dessin demeure apparent.

Astuce

L'expérimentation doit constituer pour les artistes une préoccupation permanente. Cette recherche débouche souvent sur l'élaboration de « recettes » plus personnelles, pouvant s'éloigner des règles enseignées dans les ateliers. Mais si le résultat vous satisfait, personne ne vous en blâmera !

Étape 3

Lorsque votre support est bien sec, vous pouvez travailler à l'aide de pastels gras.
N'hésitez pas à appliquer les couleurs franchement.

Posez les couleurs aux pastels gras. ▶

Étape 4

Affinez les nuances et les valeurs à l'acrylique.
La mer est traitée à l'aide d'un lavis de bleu outremer intense.

Vert émeraude.

Orange.

Vert pâle.

C.P.-c

Bleu de cobalt clair.   Jaune de Naples.

C.P.-d

▲ Si le pastel est recouvert par endroits, il suffit de gratter légèrement la peinture pour le faire réapparaître.

Bon à savoir

En présence du pastel, la couleur à l'eau est repoussée. Plus celle-ci est diluée, plus le résultat est spectaculaire.

On voit bien ici la manière dont ▶ le pastel repousse le médium à l'eau.

C.P.-e

Étape 5

Avec les pastels gras, retravaillez le ciel et la plage par petites touches colorées et affirmez les lignes de construction.
Il s'agit aussi d'augmenter les contrastes, notamment entre la mer et la plage.
Peaufinez les derniers détails et, si vous le souhaitez, ajoutez votre touche personnelle.
Voilà ! Votre œuvre est à présent terminée !

◀ La reprise des lignes de construction avec des pastels donne de la vigueur à l'œuvre.

C.P.-f

Peinture acrylique et pastels à l'huile

En utilisant votre savoir et votre expérience en matière de peinture acrylique et de pastels à l'huile, vous allez pouvoir jouer avec ces deux médiums et explorer les possibilités de la technique mixte.

Voici ce que nous pourrions appeler un cours « récréation ». En travaillant avec deux techniques, il faut avant tout se faire plaisir et trouver son propre espace de liberté dans ce qui nous est offert. Il s'agit là plus d'inventer et de transposer le réel que de le copier.

Choix du sujet

Pour appliquer cette technique mixte, nous avons décidé de prendre comme sujet un paysage montagneux.
Chacun devra s'affirmer à travers le regard qu'il pose sur ce type de paysage. C'est un pas vers la peinture abstraite, ou peinture du ressenti.
Le paysage de montagne offre une variété de couleurs, de matières, de formes et de lignes. Il est constitué de strates.
L'utilisation de deux techniques permet de penser également en terme de strates. Il faudra travailler à la peinture acrylique avant de passer au pastel à l'huile, car la peinture acrylique (élément « maigre ») n'adhérera pas au support si elle est posée sur l'élément « gras » qu'est le pastel à l'huile.

La peinture acrylique

Rappelons-le : la peinture acrylique est constituée de pigments de couleur liés par une émulsion acrylique polymère (procédé chimique). Elle est facile d'utilisation et très couvrante. De plus, elle sèche rapidement, ce qui est un énorme avantage étant donné qu'elle sera posée, en quelque sorte, comme une première couche sur le support.
L'homogénéité de ses couleurs lui confère un rendu lumineux et permet d'obtenir quantité de nuances par des mélanges. Plus ou moins diluée à l'eau ou travaillée en pâte, elle permet d'obtenir des effets très variés.

S. L.-a

Vous avez là un éventail d'effets produits par une même couleur (le rouge de Mars) sur un papier Arche.
❶ Très diluée, la peinture acrylique se rapproche de l'aquarelle.
❷ Travail aux traits.
❸ Aplat coloré.
❹ Avec très peu de peinture, et un pinceau, on crée une dynamique.
❺ Application à l'éponge.
❻ et ❼ Travaillée en pâte, la peinture acrylique se rapproche de la peinture à l'huile.

Astuces

Lorsque vous travaillez en technique mixte, ne choisissez pas un support trop fin ou trop fragile. Par ailleurs, quand vous travaillez sur de petites surfaces à l'acrylique, utilisez une palette plutôt que des pots. Une assiette blanche ou un morceau de carton-plume peut très bien faire l'affaire.

Citation

« Peindre, ce n'est pas copier servilement l'objectif, c'est saisir une harmonie entre les rapports nombreux. »

Paul Cézanne

Les pastels à l'huile

Ce sont des agglomérés de couleur en bâtonnets. Ils sont d'un usage facile et leur aspect gras les rend tendres et souples. Ils permettent les superpositions de couleurs, l'estompage et l'on peut racler leur surface pour jouer sur les tons clairs et foncés.

▲ En testant différentes applications du pastel à l'huile, on remarque la proximité des deux médiums dans la possibilité qu'ils ont de couvrir plus ou moins le support.

❶ Travail aux traits.
❷ En frottant légèrement, on met en valeur le grain du papier.
❸ Le pastel est ici appliqué fortement et estompé avec le bout du doigt.
❹ Superposition de deux couleurs. En raclant la surface, on fait réapparaître soit le support soit la couleur posée précédemment.
❺ Copeaux de pastel qui, appliqués sur le papier, donnent du relief.
❻ La couleur a été plus ou moins diluée avec de l'essence de térébenthine.

Ces pastels apportent la matière qui fait parfois défaut à la peinture acrylique. Ils peuvent également être dilués à l'essence de térébenthine, ce qui permet de jouer sur les transparences.

Combinaison

La combinaison de ces deux techniques impose de faire des choix en matière de quantité, comme vous pouvez l'observer dans les deux illustrations qui suivent. Ce sont deux essais de mise en rapport de la roche et de la végétation. Dans les deux cas, la peinture acrylique côtoie le pastel à l'huile, mais pas dans le même rapport de quantité.

▲ Les deux techniques sont présentes de façon équilibrée, en terme de quantité. Le pastel à l'huile vient préciser les masses mises en place avec la peinture acrylique. Les traits noirs structurent les formes et donnent de l'énergie à l'ensemble.

Au niveau du rendu, la différence entre ces deux peintures est importante (le choix des couleurs, la dynamique des formes, la liberté prise par rapport à la réalité et la combinaison des deux techniques utilisées).
Il peut y avoir une multitude d'approches graphiques sur le même thème. Il vous appartient de trouver et d'exploiter celle qui vous convient le mieux.

▲ Le pastel à l'huile recouvre pratiquement en totalité la peinture acrylique. Le résultat aurait certainement été le même si l'on n'avait utilisé que des pastels. La palette de couleurs, pour transposer l'élément « roche » lui donne un aspect abstrait.

Travailler avec deux techniques permet de multiplier les expériences, pour rendre compte du sujet, des matières en présence et de l'atmosphère générale.

▲ Cette peinture a été réalisée sur du carton-plume. Différentes manières d'appliquer la peinture acrylique et le pastel à l'huile ont été expérimentées (en diluant, estompant, superposant, raclant...).

Exercice

Pour mettre en pratique le travail en technique mixte sur le thème du paysage de montagne, nous vous proposons de vous munir de photographies sur le sujet.

1 : L'ébauche

Choisissez une vue d'ensemble, avec des zones rocheuses et d'autres remplies de végétation pour pouvoir prendre du plaisir à mélanger les techniques.

Une fois le modèle choisi, commencez par mettre en place les masses et les lignes qui vous donneront des repères pour les couleurs. Vous pouvez soit dessiner à main levée, soit utiliser un calque que vous poserez directement sur le modèle.

▲ L'usage du calque permet une plus grande précision dans le placement des éléments. Vous pouvez décalquer ces lignes sur votre support à peindre. À cette fin, utilisez un crayon graphite assez gras (B ou 2B) pour le marquage. Si vous dessinez à main levée, optez pour un crayon graphite HB afin que le dessin reste discret.

2 : La peinture acrylique

Travaillez ensuite les couleurs à la peinture acrylique, par étapes. Faites un premier passage en aplats colorés, en essayant de déterminer la couleur moyenne de chaque zone à peindre. Lorsque vous aurez attribué une couleur à chaque zone, faites un second passage avec plus de précision, sans néanmoins peaufiner les détails. Intervenez par des taches colorées pour retrouver les variations de couleurs et de matières que vous offre votre modèle. Ce qui est important, à ce stade de la réalisation, c'est de mettre en place la structure du paysage et votre palette de couleurs.

▲ Nous avons choisi cette vue de La Grave (dans les Alpes).
Ce paysage de montagne est composé de trois plans distincts, que la peinture acrylique a permis de mettre rapidement en place :
• l'arrière-plan, où l'on voit des sommets enneigés ;
• le plan moyen, avec, à gauche, des rochers à nu où subsiste, à certains endroits, un peu de végétation, et, à droite, une pente couverte de conifères ;
• un premier plan d'herbe et d'arbres divers.

▲ Le pastel à l'huile a permis d'affiner les couleurs et de mettre en place les effets de lumière. Le ciel est la seule zone qui n'a pas du tout été retravaillée. Il conserve ainsi sa limpidité. Le traitement au pastel s'est fait par étapes, plan par plan (du plus éloigné au plus proche). Le choix du pourpre, plutôt que du noir, pour traiter les zones les plus sombres, évite de trop durcir les contrastes. Ce paysage étant une vue d'ensemble, il a été retranscrit sans trop de détails, l'accent étant mis sur les masses et les couleurs.

3 : Les pastels

Lorsque vous estimez avoir suffisamment de repères, reprenez l'ensemble aux pastels à l'huile. Ils vous permettront de détailler le paysage et d'affiner la palette des couleurs. Dans le même temps, vous pourrez intervenir de nouveau à l'acrylique sur des détails, si vous le jugez nécessaire. Travaillez zone par zone, en tenant compte de l'harmonie de l'ensemble. Si vous vous trompez, raclez la couche de pastel que vous souhaitez enlever à l'aide d'une lame de cutter. Vous retrouverez ainsi la couleur du support peint.

À vous, maintenant, de « jouer avec la neige » ! À partir de la vue que vous aurez choisie, appliquez vos couleurs et vos traits sans vous poser de questions, en faisant simplement confiance à votre intuition et à vos sensations. Votre regard doit faire constamment des aller et retour entre le modèle et le support. Lorsque vous sentirez le moment venu d'arrêter, en prenant du recul, vous découvrirez ce que vous avez mis en place. Attendez-vous à d'agréables surprises, car la faible distance entre le regard et le support ne vous aura pas laissé le temps de voir vraiment ce que vous faites, c'est-à-dire d'analyser, de critiquer ni donc de censurer.

Bon à savoir

Le pastel à l'huile se fixe difficilement. Par conséquent, pensez à protéger vos œuvres en les recouvrant d'un papier blanc. Cela évitera des transferts de couleurs entre les différentes réalisations. Essayez cette technique pour d'autres sujets que vous avez déjà abordés, tels que le paysage marin ou la nature morte. Taillez régulièrement la pointe de vos pastels gras afin que les traits restent aussi précis que souhaité.

Un paysage enneigé

Travailler avec une palette de couleurs réduite constitue un excellent exercice. Bien sûr, un paysage sous la neige est essentiellement blanc, mais un blanc chargé de nuances. La neige capte bien la lumière solaire et les couleurs seront plutôt froides ou chaudes en fonction de cette lumière. En effet, une lumière du matin (blanche) offrira des variations dans les bleus et les gris, alors qu'une lumière de fin d'après-midi (jaune orangé) réchauffera la palette des couleurs. Le soir, la lumière apporte toute une gamme de roses, mauves et violets.
À vous d'apporter une touche personnelle à votre œuvre !

▲ Dans cette peinture, la végétation est plus ou moins recouverte de neige. La transposition du sujet s'est faite à main levée. La palette des gris et bleus évoque la froideur du matin et donne du relief au paysage, en jouant sur les parties à l'ombre et les parties ensoleillées. Le pastel à l'huile est travaillé de façon fluide, ce qui donne de la légèreté à l'ensemble. Les tons utilisés, même s'ils ne sont pas réalistes, rendent compte de l'épaisseur et de la qualité de la neige.

Aquarelle et collage

Si on limite son utilisation à de petites surfaces, le collage peut ajouter une note originale et intéressante dans une aquarelle.

À cause de la transparence de la couleur, et parce qu'il est impossible de travailler en empâtement, choisissez des sujets où les collages permettent de faire figurer des textures sur de petits éléments (rochers, fleurs, tissus...).

Nous allons travailler avec du papier. Les matériaux les plus fréquemment utilisés dans la peinture aquarelle sont le papier de soie et le papier crépon. Globalement, ce sont des papiers fins semi-transparents qui s'accommodent de couches superposées.

Mode d'emploi

Vous avez plusieurs possibilités pour utiliser cette technique. Premièrement, vous pouvez coller les morceaux de papier sur une surface peinte : vous obtiendrez une teinte intermédiaire.

◀ **Deux petits morceaux de papier blanc collés sur un fond rouge.**

T.S. - a

▶ **Trois morceaux de papier de différentes couleurs collés sur un fond rouge.**

T.S. - b

Deuxièmement, vous pouvez coller les fragments de papier sur un support blanc et peindre ensuite : vous obtiendrez deux teintes différentes, car le matériau réagit différemment (absorption de couleur).

T.S. - c

◀ **Essai réalisé avec du papier crépon blanc.**

▶ **Papier de soie bleu recouvert de terre de Sienne brûlée.**

T.S. - d

Troisièmement, vous pouvez coller plusieurs épaisseurs de papier coloré : la superposition de plusieurs couches donne une teinte saturée.

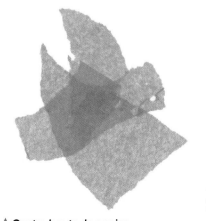

▲ **Quatre bouts de papier de même couleur superposés.**

T.S. - e

Quatrièmement, il vous est enfin possible de donner un effet de pliage à la feuille au moment du collage : en passant un lavis, les reliefs des plis absorbent davantage de couleur et les teintes se mélangent.

T.S. - f

▲ **Le papier jaune a été plié lors du collage.**

Astuces

Utilisez de la colle blanche ou de la colle à bois, liant vinylique ou médium acrylique. Ces colles deviennent transparentes lorsqu'elles ont séché et se dissolvent dans l'eau. Dans un petit récipient, diluez la colle avec de l'eau pour obtenir une consistance semi-liquide. Badigeonnez la surface à coller à l'aide d'un pinceau et appliquez-la aussitôt sur la feuille. À ce stade, vous pouvez encore bouger la pièce et créer des plis.

Attention ! l'humidité fragilise le papier. Manipulez-le donc avec beaucoup de délicatesse si vous ne tenez pas à ce qu'il se déchire malencontreusement.

Le papier de soie

Le procédé du collage fait appel à l'imagination et à l'habileté. Il faut savoir intégrer au support les plis du papier, pour que, une fois peint, il se mêle sans heurt au reste du tableau.

Pour nos premiers exemples, nous allons nous inspirer d'un champ de coquelicots. Les tons vifs des fleurs sont particulièrement bien rendus avec des petits bouts de papier de soie rouge. Pour réussir un effet de transparence, il suffit de superposer plusieurs petits morceaux collés.

Ensuite, pour intégrer le tout dans le paysage, il faut parfois passer un ou deux lavis sur les morceaux collés.

En progressant dans votre travail, vous allez réaliser le fond à l'aquarelle (il s'agit des tiges, des feuilles et autres herbes, ainsi que certains coquelicots peints) en évitant les pièces collées. Il est bien entendu permis de coller d'autres pièces en cours de travail, si le besoin s'en fait ressentir. Vous pouvez aussi peindre sur les fleurs pour renforcer des teintes.

▲ **Les pétales délicats des coquelicots se prêtent admirablement à la technique du collage.**

Bon à savoir

Respectez la perspective aérienne. La logique veut que les objets près de vous soient nets et grands, et que ceux du fond soient petits et vagues. Si vous travaillez dans ce sens, vous allez à coup sûr réussir une composition cohérente.

Si vous découpez les formes ▶ aux ciseaux, vous allez obtenir des contours plus précis qui conviennent au premier plan. Les contours déchirés correspondent aux éléments plus flous des plans intermédiaires.

Bon à savoir

La technique du collage associé à l'aquarelle est peu utilisée. Ce domaine reste encore à explorer. Utilisez d'autres matériaux, d'autres techniques, qui permettront l'utilisation de l'aquarelle comme substance colorante. Les matériaux devront être absorbants pour rendre possibles l'utilisation et la bonne tenue de la peinture à l'eau.

Une composition semi-figurative

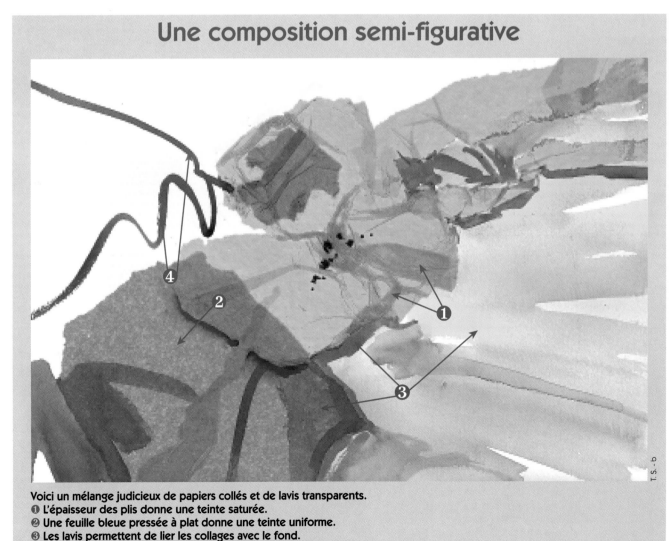

Voici un mélange judicieux de papiers collés et de lavis transparents.
❶ L'épaisseur des plis donne une teinte saturée.
❷ Une feuille bleue pressée à plat donne une teinte uniforme.
❸ Les lavis permettent de lier les collages avec le fond.
❹ Les formes linéaires cassent la monotonie des grandes surfaces.

Le papier crépon

On peut également commencer par coller sur toute la surface une feuille de crépon blanche. Pour préparer le support, on badigeonne sur toute la surface un mélange colle/eau. Le papier crépon est plus épais que le papier de soie et nécessite plus de colle.

On pose le crépon et on forme des plis selon une trame horizontale (ou autre, selon le sujet). On marque les plis à certains endroits importants. Cela présuppose une réflexion sur l'aspect final du tableau. On devra en effet tenir compte de la forme des plis pour la suite du travail. Puis on presse fortement et on laisse sécher.

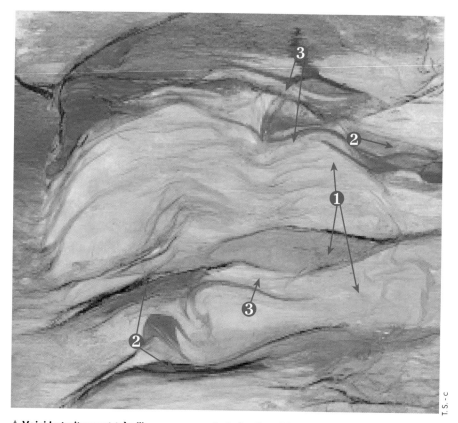

▲ Voici le traitement très libre, presque abstrait, d'un thème majeur : le coucher de soleil sur la mer. Aussitôt après avoir posé le papier crépon et avant que la colle ne sèche, formez des plis selon votre interprétation du sujet (ici, les plis, évoquant l'horizon et les vagues, sont plutôt horizontaux).
❶ Cherchez une harmonie de couleurs et posez les premiers lavis très dilués dans les grands espaces (zones calmes, sans trop de reliefs) en suivant les formes des plis.
❷ Travaillez au « feeling » et montez les tons dans les petites zones de plis très denses.
❸ Marquez certains plis par des traits fins avec un petit pinceau.

▼ Voilà un détail de la composition maritime. En passant avec une brosse sèche sur les reliefs, vous allez colorer les plis.
Une autre solution pour obtenir le même résultat : frottez les reliefs avec un doigt.

Plume, encre et aquarelle

L'alliance de ces trois matériaux est à la source d'une technique très ancienne, pratiquée par beaucoup de peintres célèbres, dont Dürer et Rembrandt.

La plume et l'encre étaient utilisées, pour écrire ou pour dessiner, en Égypte ancienne et en Chine dès le milieu du IIIᵉ siècle avant Jésus-Christ. Les plumes étaient fabriquées avec des tiges de roseau ou de bambou taillées, et les encres obtenues à partir de substances pulvérisées et agglomérées avec de l'eau. Aujourd'hui, si les matériaux ont évolué, les techniques restent les mêmes.

Les encres colorées

Elles ont des couleurs éclatantes, uniques. Elles sont fabriquées à base de colorants, ce qui leur confère cette forte tonalité. Elles sont souvent utilisées dans le domaine de l'illustration ou autres travaux destinés à la reproduction, car elles ne sont pas stables à la lumière. Il est donc conseillé de les conserver dans des endroits peu éclairés. On trouve aujourd'hui de nouvelles couleurs à base d'acrylique et de pigments extrêmement fins.

Ces nouveaux produits sont plus résistants et durables. Si les mélanges sont possibles, il est préférable de mélanger des encres de même marque, qui possèdent les mêmes propriétés de fluidité et de séchage.

L'encre de Chine

Elle s'emploie comme l'aquarelle. La préparation du support et les outils utilisés sont les mêmes. On peut la diluer dans de l'eau pour obtenir de subtils dégradés de tons.

Théo Sauer - d

▲ Mélange de deux encres sur une surface humide.

Théo Sauer - f

▲ Deux exemples d'utilisation d'encre
▼ de couleur et de plume.

Théo Sauer - a

▲ Au pinceau, en ajoutant de l'eau, on obtient un dégradé.

Théo Sauer - e

Théo Sauer - b

▲ Effet obtenu par projections avec une brosse plate.

▲ Mélange de plusieurs encres. Notez les beaux effets d'efflorescence.

Théo Sauer - g

Les traits à l'encre sous l'aquarelle

Le travail de la plume sous l'aquarelle est très facile.

Il consiste à exécuter un croquis à la plume, qui est ensuite rehaussé par des lavis colorés. Cette technique est intéressante dans les cas qui nécessitent précision et rigueur.

Il faut utiliser une encre de Chine permanente. Dans le cas contraire, l'encre serait dissoute par les lavis. Par le mélange avec le noir, les couleurs perdraient de leur luminosité.

Commencez par un croquis

Faites un dessin linéaire à la plume. Ne représentez pas les ombres par des hachures. Le léger jus aquarellé appliqué par la suite suffira pour rendre les nuances et le volume. N'oubliez jamais que vos traits vont devenir « partie intégrante » de votre tableau. En effet, il est pratiquement impossible d'effacer l'encre si celle-ci est indélébile.

Complétez par des coloris

Quand l'encre est bien sèche, posez vos lavis. Pour bien faire ressortir les traits, utilisez des lavis dilués.

N'optez jamais pour des couleurs épaisses et couvrantes, sinon les traits n'auront plus leur place dans la composition.

Théo Sauer - h

Théo Sauer - j

Théo Sauer - i

▲ Le croquis de base peut être très simple. En effet, quelques traits suffisent pour cerner votre sujet, qui sera complété par des lavis colorés.

▲ Les roses trémières sont d'abord dessinées au trait, à l'encre de Chine. Seuls les détails utiles sont indiqués. Les valeurs sont ensuite représentées par la couleur.

▲ Si vous n'avez pas d'aquarelles au moment où vous exécutez le croquis, vous pouvez le compléter par des lavis à l'encre de Chine, qui seront d'une aide précieuse pour la réalisation finale.

Les traits à l'encre sur l'aquarelle sèche

Le travail de la plume sur l'aquarelle sèche donne des effets plus légers et fait ressortir certains détails.

L'encre sert à modeler les détails en appuyant les traits pour donner du volume et rendre le résultat plus expressif.

La plume sur l'aquarelle humide

Vous obtiendrez de beaux effets de fondus en dessinant sur l'aquarelle encore humide. Mais il faut utiliser cette méthode localement, sinon vous risquez une uniformisation des teintes due au mélange du noir avec les couleurs. Après séchage complet, vous pouvez reprendre certains détails.

Théo Sauer - a

Théo Sauer - b

▲ Les lavis sont posés sur les fleurs.　　　▲ Les lavis sont complétés à la plume.

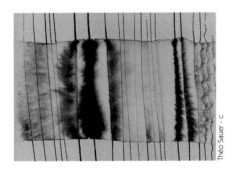

Théo Sauer - c

▲ Un exemple de traits sur un lavis. Voyez comment l'encre se répartit sur la bande humide.

Théo Sauer - d

▲ Les lavis sont appliqués sur un fond humide. Donnez de la profondeur à vos fleurs en ajoutant davantage de mélange coloré dans les zones d'ombre.

150

Exercice

En combinant l'encre de Chine et l'aquarelle, on arrive à rendre une atmosphère en quelques touches de couleurs.

Un croquis au crayon vous servira de base pour vous exercer à la technique mixte de l'encre de Chine et de l'aquarelle.
Le sujet que nous vous proposons : l'aurore en bord de mer par temps gris et brumeux.
Vous pourrez toutefois suivre cette même progression à partir du dessin de votre choix.

1 : Réalisez l'esquisse

Commencez par réaliser une esquisse au crayon, en notant les ombres et les valeurs, afin de déterminer l'atmosphère que vous souhaitez rendre. Elle vous servira de modèle.
Travaillez les gris par de légères hachures. Pour traduire le caractère humide et brumeux, estompez les gris à l'aide d'un chiffon.

▲ Ne vous attardez pas sur les détails, essayez plutôt de rechercher une ambiance.
Cette esquisse au crayon vous servira de modèle.

2 : Le travail à l'encre de Chine

Sur une feuille de papier aquarelle, reproduisez les grands traits de votre dessin. Travaillez les parties les plus sombres à l'encre de Chine. Utilisez de l'encre indélébile.
Dégradez vos lavis vers l'horizon pour séparer les différents plans de la composition. Aidez-vous de l'esquisse au crayon que vous avez réalisée.

▲ Réalisé à l'encre de Chine seule, ce croquis pourrait se suffire à lui-même.

3 : Posez les lavis

Avec un gros pinceau chargé d'eau pure, mouillez toute la surface à peindre. Avec un petit pinceau, posez des touches de bleu de cobalt dans le ciel et la mer. Simultanément, placez les lavis ocre (terre d'ombre) le long de la plage. Parallèlement, il faut inclure de l'encre de Chine diluée dans le ciel afin de « casser » l'intensité du bleu. Reprenez le bleu et procédez à un deuxième passage sur la mer en essayant de marquer la ligne d'horizon.

▲ La feuille doit rester bien humide. Si nécessaire, repassez une deuxième fois le pinceau chargé d'eau pure.

4 : Réalisez les finitions

Repassez un léger jus de terre d'ombre sur les rochers pour atténuer l'effet du noir.
Il faut attirer le regard sur le premier plan par divers éléments graphiques.
Vous pouvez ainsi procéder à quelques tamponnements à l'éponge sur le premier plan afin de suggérer la matière des rochers.

▲ L'éponge et les projections sont tout à fait indiquées dans ce cas. Elles apportent la touche finale qui permettra de donner de la profondeur à votre paysage.

Aquarelle et gouache

L'aquarelle et la gouache se complètent... La première capture la lumière grâce à sa transparence alors que la seconde apporte de la matière au sujet.

Vous pouvez sans aucun problème peindre à l'aquarelle puis repasser par-dessus à la gouache. Cela vous permettra ainsi de faire d'éventuelles retouches et de réparer vos erreurs.

La gouache en appoint

Vous pouvez compléter une aquarelle avec des touches de gouache. Si vous désirez garder l'aspect délicat et transparent de l'aquarelle, alors utilisez la gouache avec parcimonie, principalement pour réaliser des zones denses dans les toutes dernières étapes. Elle sert alors à faire des retouches et, surtout, à apporter des rehauts en cas d'oubli.

Cette manière de procéder va dans le sens de la logique. En effet, il est plus facile de commencer par des couches fines et de leur superposer des couches de plus en plus épaisses.

La technique inverse reste cependant possible. Sur une épaisse couche de peinture, vous pouvez passer un léger glacis (comme un voile transparent). Utilisez alors plutôt de la peinture aquarelle, car elle sera plus transparente. Ce lavis devra être déposé rapidement, en un passage, pour éviter que la sous-couche ne s'efface. Notez que la gouache s'efface très facilement.

T.S.-a

▲ Nous avons utilisé ici la gouache blanche comme une peinture opaque pour placer quelques rehauts.

T.S.-b

◄ Cet autre exemple nous montre un travail à la gouache plus élaboré.

❶ Cette fleur a été entièrement retouchée à la gouache.
❷ Pour obtenir une surface d'une autre densité que celle de l'aquarelle, mélangez de la gouache blanche assez liquide aux premières couches aquarellées. Parallèlement, cela permet d'éclaircir de nouvelles zones.
❸ Les teintes foncées à la gouache peu diluée donnent une bonne couverture opaque.

La combinaison

Les « puristes » de l'aquarelle rechignent à utiliser d'autres techniques. Cela est certainement dommage ! Dans une composition abstraite, il peut être très intéressant d'utiliser deux matériaux.

L'aquarelle sera réservée aux premières couches lumineuses et transparentes, tandis que la gouache, appliquée généreusement, apportera l'élément « matière », avec l'opacité et la matité des dernières couches.

Bref, n'hésitez pas à combiner ces techniques en exploitant leurs qualités propres. Vous pourriez avoir de bonnes surprises...

La substitution

Vous pouvez également « travailler » la gouache à la manière de l'aquarelle. Toutefois, en raison de leurs différences fondamentales, vous n'obtiendrez pas exactement le même rendu avec ces deux médiums.

Par sa composition (pigments moins fins, liant, présence de blanc dans certaines teintes), la gouache offre des nuances laiteuses naturellement plus opaques. Vous allez en effet remarquer que les aplats réguliers sont plus difficiles à réaliser. La raison en est simple : les pigments, beaucoup moins fins, se dispersent malaisément ; en outre, il faut une plus grande quantité de liant (colle) pour maintenir toutes les particules colorées.

L'effet final est cependant très intéressant, dans la mesure où toutes les traces de pinceau sont très présentes, ce qui donne beaucoup de vie à l'œuvre.

Un paysage à la gouache

Prenons l'exemple d'un paysage pour détailler le travail de la gouache façon aquarelle. Après en avoir esquissé les grandes lignes, sortez du tube de petites quantités de peinture ; diluez celles-ci avec beaucoup d'eau.

Première étape.

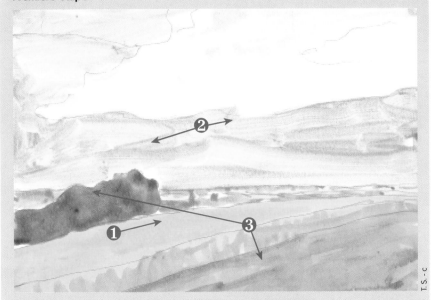

❶ Commencez par appliquer le jaune sur les champs de blé.
❷ De nombreuses traces de pinceau restent visibles dans le ciel.
❸ Utilisez toujours beaucoup d'eau pour essayer d'obtenir un vert transparent.

Seconde étape.

❶ Travaillez les champs de blé en posant d'autres couches de jaune d'or.
Suggérez des lignes qui dirigent le regard vers l'horizon (perspective).
❷ La hauteur des épis est matérialisée par de nombreux petits traits verticaux réalisés avec un pinceau fin.
❸ Les verts sont plus chauds au premier plan et bleutés dans le lointain.
❹ Utilisez du violet, du bleu et du brun pour achever le ciel.
Avancez progressivement, en commençant par des touches légères dans les nuages pour finir avec des tons plus foncés.

Une composition abstraite

Elle combine aquarelle et gouache. Utilisez peu d'eau pour diluer votre peinture aquarelle. Travaillez en technique humide et en technique sèche. Organisez vos teintes sur la surface selon un agencement triangulaire, ce qui équilibrera la composition (une méthode utilisée dans la peinture abstraite, où il y a peu de repères).

Organisez votre surface en gardant les zones aquarellées les plus intéressantes. La gouache sera appliquée en touches généreuses. Elle couvrira totalement les couches précédentes.

Dans la matière épaisse fraîche, il sera possible d'enrichir la surface par toutes sortes de grattages ou de formes d'empreintes.

Utilisez l'éponge pour enlever des zones de peinture. Ajoutez des projections, etc.

Le résultat final pourrait représenter une sorte de jungle organisée et multicolore où filtrent des rayons de lumière. L'aquarelle paraît très lumineuse à côté des forts contrastes et de la matité de la gouache.

Étape 1 : un patchwork de couleurs toniques à l'aquarelle.

Étape 2 : donnez de la consistance à votre peinture avec la gouache.

Des essais comparés

Réalisons deux peintures avec une composition identique, en utilisant respectivement les deux matériaux, ce qui vous permettra de noter les différences dans la façon de travailler ainsi que dans le rendu.

Partons dans le grand Nord, dans l'océan Glacial Arctique, un univers blanc et froid, que nous allons « parsemer » d'icebergs aux formes majestueuses et aux lignes à la fois épurées et déchiquetées.

À l'aquarelle

Pour réussir ce travail à l'aquarelle, il vaut mieux masquer les zones blanches à la gomme liquide. Laissez sécher et commencez par réaliser le ciel. Pour lui donner de la profondeur, effectuez un dégradé (plus foncé vers le haut). Pour bien faire ressortir le blanc des icebergs, utilisez des valeurs assez foncées. Si cela vous semble nécessaire, repassez une deuxième couche (dans l'exemple gouaché, le contraste sera plus important). Travaillez l'eau et les reflets en technique humide. Préservez les zones blanches et remontez les tons dans les endroits sombres. Enlevez le masque et appliquez des lavis sur les blocs de glace en allant du clair au foncé. Procédez aux dernières retouches. Soulignez particulièrement la jonction eau/glace par un petit trait irrégulier.

À la gouache

Avec cette technique, inutile de réserver des blancs, car le principe du travail à la gouache étant plus proche de celui à l'huile que de celui à l'aquarelle, il faut construire vos masses colorées en même temps. Vous pouvez commencer par le ciel. Contrairement à l'aquarelle, la peinture à la gouache permet de nombreuses retouches. Les blocs de glace au premier plan sont structurés à l'aide d'un petit morceau de carton qui remplace le pinceau.
Travaillez l'eau par des touches généreuses en pâte semi-liquide. Placez les rehauts blancs en dernier. Utilisez toujours le morceau de carton, qui permettra de créer les petits reflets blancs du premier plan (traits horizontaux).

▲ La version aquarelle. On a commencé par masquer les zones blanches des icebergs et de leur reflet. On a travaillé le ciel en dégradé, l'eau en technique humide. Puis on a remonté les tons pour créer le contraste.

▲ La version gouache. Après avoir appliqué les grandes masses colorées, on a pu travailler les rehauts sur les icebergs et leur reflet à l'aide de la tranche d'un morceau de carton.

Gouache et pastel sec

Avec ce cours, nous allons pouvoir mélanger deux techniques : la gouache et le pastel sec. Vos œuvres seront originales avec de jolis effets de matière.

Pour parvenir à exprimer vos émotions par le biais de la peinture, tous les chemins sont intéressants à explorer, qu'il s'agisse d'utiliser une technique seule ou de l'associer avec une autre. N'hésitez pas à vous lancer ! Vous avez pu, grâce aux cours précédents, vous initier au pastel sec et à la gouache. Voyons à présent ce que vous offre la combinaison des deux.

Votre matériel

Le matériel dont vous avez besoin est assez rudimentaire :
• quelques tubes de gouache ;
• des pastels secs sous la forme de bâtonnets carrés plutôt compacts ;
• des pastels plus friables et aussi plus pigmentés ;
• trois pinceaux à aquarelle fin, moyen et gros ;
• du papier pour pastels secs ;
• du papier cristal ou du fixatif en bombe (pour protéger vos œuvres).

▲ Le matériel dont vous avez besoin est assez simple.

Mode d'emploi

La manière de procéder est simple et devra beaucoup plus à votre inspiration ! Quelques petites notions sont malgré tout à garder en mémoire.
• Dans un premier temps, étalez devant vous, bien en évidence, toutes vos couleurs.

• Posez un chiffon sur vos genoux, pour vous essuyer souvent les doigts. Le pastel sec, comme nous l'avons vu dans le cours qui lui était consacré, est en effet extrêmement poudreux et salissant, d'où de gros risques de tacher par mégarde votre dessin en cours de travail.
• Commencez de préférence avec la gouache, pour ensuite revenir au pastel sur votre dessin. Car si le pastel forme des zones trop poudreuses, la gouache ne pourra pas adhérer. Pensez à estomper le pastel au doigt ou à souffler sur votre dessin régulièrement. Ainsi, vous conserverez la possibilité d'ajouter des rehauts de gouache pure.

Testez la matière

Avant de vous lancer, pensez à faire sur une feuille ordinaire, blanche ou colorée, quelques essais de matière.
Ne cherchez pas à dessiner quoi que soit : il s'agit uniquement de vous familiariser avec le mariage des deux techniques et leur interaction. N'oubliez pas que chacune recèle des possibilités multiples : par exemple, dilution plus ou moins importante pour la gouache, estompe pour le pastel.

Quel support choisir

Le papier idéal pour ce genre de travail doit être assez fort pour éviter de trop se gondoler avec l'eau, mais aussi légèrement « pelucheux » afin de mieux retenir le pigment pur des pastels. Le vélin d'Arche semble réunir ces deux qualités, mais vous trouverez également des papiers spécialement conçus pour le pastel sec dans le commerce.

Pastel estompé.

Pastel
en touches.

Gouache
diluée.

Gouache
épaisse.

Gouache
épaisse.

Pastel
sec.

Pastel
sur gouache.

Gouache
sur pastel.

▲ Mélanges successifs de pastel
et de gouache.

La gouache jaune diluée donne un vert
sur un fond bleu.

Rehauts
de pastel pur.

Le rouge vif
de la gouache
est « cassé »
par le fond bleu.

Comment conserver vos œuvres

Pour ce qui est de la conservation de vos dessins, le mieux est assurément de les recouvrir d'une feuille de papier cristal et de les stocker à plat dans un tiroir. Vous pouvez cependant avoir recours au fixatif en bombe, afin d'éviter que les particules de pigment ne se dispersent à cause du frottement avec d'autres dessins. Sachez qu'il s'agit d'un pis-aller, car le fixatif a toujours tendance à assombrir et « casser » les couleurs du dessin.

Un mariage heureux

En effectuant ces tests, vous allez constater que les spécificités de chaque technique incitent à les utiliser souvent dans le même ordre...

• La gouache diluée, par sa fluidité, se prête particulièrement au fond ;

• Avec le pastel sec, on crée un avant-plan plus coloré, plus soutenu, avec davantage de volume ;

• Enfin, la gouache pure ou très peu diluée permet de réaliser des rehauts.

• À noter que certaines zones peuvent être traitées par une seule technique. C'est ce qui va permettre, précisément, de créer des volumes et des contrastes intéressants.

Fond de gouache
diluée.

Pastel
sur gouache.

Rehauts
de gouache blanche.

Touches de pastel.

Astuce

Vous pouvez au choix estomper le pastel ou le laisser apparaître, selon l'effet recherché.

157

Exercice

Hissez haut les couleurs !
Des barques sur fond de lac paisible
vont vous donner l'occasion
d'exploiter au mieux vos nouvelles connaissances !

▲ Barques sur le lac d'Annecy.

Marc Trigalou/Pix – a

À chacun son rôle !

Chaque type de peinture a sa fonction dans une composition mixte. Ainsi, la gouache très diluée, comme l'aquarelle d'ailleurs, intervient généralement en premier, car sa forme liquide et ses couleurs transparentes conviennent aux arrière-plans.

Utilisée ensuite de moins en moins diluée, la gouache permet de traiter les contrastes. La superposition de pastel sec permet enfin d'éclairer et de donner plus de subtilité aux couleurs.

Des barques colorées offrent un très bon prétexte à l'utilisation conjointe de la gouache et du pastel. En effet, le pastel sec est certainement l'outil qui rend avec le plus d'émotion la vibration de la lumière et le plaisir que peut procurer la vision de la couleur pure.

1 : Plusieurs ébauches

Faites différentes ébauches de votre sujet au crayon de papier et choisissez la composition qui vous intéresse le plus.
Esquissez librement votre composition, en ne retenant que les éléments qui vous intéressent.

❶

B.P. - b

▲ Si votre esquisse reste libre, décidez d'un cadrage précis par rapport au panorama qui vous entoure.

158

2 : Passage d'aquarelle

Commencez ensuite à couvrir entièrement votre dessin en utilisant un gros pinceau à aquarelle et de la gouache assez diluée. Ne vous attardez pas sur les détails.

3 : Touches de pastel

Quand votre fond a séché, revenez avec des pastels. Procédez par petites touches, en estompant avec le doigt, plus ou moins selon les zones. N'ayez pas en tête de compliquer votre dessin, mais plutôt de rendre palpable l'atmosphère ondulante et chaude du sujet.

4 : Les détails

Cette dernière étape du travail consiste à utiliser un pinceau fin et pointu pour redessiner à la gouache pure certains détails qui vous semblent indispensables à une meilleure compréhension du sujet.
Forcez, pour finir, certaines zones avec de forts accents de pastel non estompé.
N'oubliez pas de conserver des zones du dessin vierges (des « repos »), de manière à créer des contrastes.

Astuce

N'oubliez pas de garder à portée de main l'accessoire indispensable lorsque l'on travaille au pastel : un chiffon ! Vous en aurez souvent besoin.

Indiquez sans ambiguïté les contrastes de valeur afin de mieux faire sentir l'ambiance ensoleillée de votre sujet.

Les contrastes de couleurs vives, sont immédiatement posés à la gouache diluée.

B.P. - c

Le pastel contribue à donner de la subtilité aux couleurs de base qui ont été posées à la gouache.

Vous pouvez, au choix, estomper le pastel ou le laisser apparaître plus graphiquement.

B.P. - d

Avec un pinceau très fin et de la gouache pure, vous pouvez revenir par-dessus le pastel de la troisième étape, afin d'indiquer certains détails.

Avec un pastel très pigmenté, très friable, faites apparaître les lumières les plus vives.

B.P. - e

Un potager à l'encre et aux pastels gras

Les potagers sont beaux du printemps à l'automne. Le festival de couleurs des fruits et des légumes commence en juin et finit aux premières gelées. C'est un sujet en or pour cette technique mixte.

À chaque saison, son attrait

L'hiver est assez ingrat ; toutefois, le jardin potager reste beau au cours de cette période.

Si la structure est étudiée, la géométrie du tracé se détache nettement et est accentuée par des petites haies de buis, par des légumes restés en terre, comme les choux, qui se givrent parfois. Les treillages, les silhouettes des arbres, se détachent encore mieux pendant cette période.

Au printemps, la nature renaît, les arbres fruitiers sont couverts de fleurs. Les verts tendres des serres, les pousses des légumes, se mélangent harmonieusement aux premières tulipes.

Puis vient l'été. Les potagers regorgent de légumes divers. C'est aussi la saison des fruits sucrés et gorgés de soleil.

En automne, d'autres fruits, comme le raisin, et d'autres légumes, tels que l'imposant potiron aux tonalités chaudes, font leur apparition.

La composition du potager est parfois très étudiée et structurée. Elle peut tout à fait intégrer des zones de fleurs ici et là.

▲ L'été sonne l'heure de la récolte fructueuse dans les jardins potagers.

Zoom sur le jardinier

Intéressez-vous aussi au jardinier. Il sera un modèle dans le ton du sujet et vous introduirez, ainsi, dans votre dessin une touche d'humanité. Ses outils peuvent être aussi un bon sujet : pelle, râteau, arrosoir, brouette.

Le jardinier est un modèle humain parfait pour introduire de la vie dans le potager.

Pour commencer

Vous vous installerez donc dans le jardin avec un carnet à croquis et vous vous amuserez dans un premier temps à faire plusieurs croquis très rapidement. Utilisez un crayon à papier ou un feutre noir. Ils permettent d'obtenir un dessin très détaillé.

Soyez attentif à la grande variété de verts, aux formes spécifiques des feuilles.

▲ Votre dessin au feutre noir à pointe fine une fois achevé.

Lorsque votre dessin au feutre noir à pointe fine est terminé, choisissez des encres de couleur fluides et des pastels gras (dits aussi « à l'huile ») pour installer les couleurs. Placez les rouges, les jaunes et les verts avec les pastels gras. Poursuivez votre coloration à l'aide des encres qui sont très lumineuses.

▲ Un jardin potager réalisé uniquement avec un feutre à pointe fine noir et des encres de couleur.

Jeux de verts

Le vert est la couleur dominante du potager. Le feuillage des légumes, des fleurs, des arbres fruitiers, des herbes aromatiques, les haies et les allées déclinent toutes les gammes de verts : ils sont plus ou moins vifs, tendres, sombres, lumineux, gris, dorés ou bleutés. Le feuillage est parfois luisant, parfois velouté. Il s'agit de bien le restituer.

▲ Avec des artichauts grisés et des salades vert tendre, des poireaux bleutés s'harmonisent à merveille.

Jeux de lignes

Le potager est par excellence l'endroit du jardin dans lequel la géométrie revêt une grande importance. Il convient d'en étudier les lignes directrices : horizontales et verticales.

Ce sont ces structures qui, lorsque les plants de légumes sont vides en hiver, assurent l'harmonie du potager.

Comme dans un jardin à la française, ces lignes verticales et horizontales apparaissent nettement dans un potager.

C'est l'occasion de subtiles variations autour de la nature et de l'intervention humaine.

▲ Les plantes à tuteur, à palissade ou cultivées sur des rames permettent l'introduction de lignes verticales.

▲ Les verticales des tuteurs contrastent agréablement avec les masses rondes des tomates et des choux.

Exercice

Afin de mettre en pratique ce que nous avons abordé, nous avons choisi un petit coin de jardin où les légumes et les plantes aromatiques seront nos modèles.

1 : Le croquis

Après avoir fait plusieurs croquis dans le jardin, choisissez votre coin préféré. Installez-vous confortablement avec votre matériel. Faites un croquis soit au feutre noir, soit au crayon à papier.

Le matériel

Vous aurez besoin d'un pinceau, d'encres de couleur, d'une boîte de pastels à l'huile, de papier blanc ou d'un carnet à croquis et d'un gobelet d'eau.

2 : Attirer le regard

Avec des pastels à l'huile, placez les premiers éléments qui s'imposent à vous : les tomates bien mûres au second plan, certaines feuilles plus luisantes, les tuteurs, les laitues au premier plan et la terre qui paraît plus claire à certains endroits.

3 : Les couleurs douces

Poursuivez avec vos pastels à l'huile pour restituer la couleur vert tendre des feuilles, le blanc et le vert jaune des salades, les feuilles tendres des radis au premier plan, les pavés, les herbes aromatiques, persil, ciboulette, basilic. Quelques touches de bleu dans le ciel et sur le sol rendront la légèreté de l'air.

❶

◄ Si vous optez pour un croquis au feutre fin, les traits resteront apparents.

M.L.V. - b

❷

Les pastels gras ► servent à installer les éléments qui vont ressortir de l'ensemble.

M.L.V. - c

Chacun son rôle

Les pastels gras vont vous permettre de placer quelques points forts par un dessin et de donner un effet de texture ainsi que du relief aux légumes.

Les encres vont restituer la lumière et la transparence du jardin.

Plus la couleur est diluée par de l'eau, plus elle laisse apparaître le blanc de la feuille. Cela donne une impression de légèreté.

Avec l'encre bleu de cobalt, peignez le ciel en laissant apparaître le blanc du papier à certains endroits de manière à créer la distance et une ambiance légère.

❸

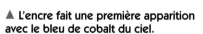

M.L.V. - d

▲ L'encre fait une première apparition avec le bleu de cobalt du ciel.

4 : La luminosité par l'encre

Installez quelques touches de bleu turquoise, de rouge vermillon, de vert émeraude et de jaune avec les encres. Votre dessin paraîtra ainsi très lumineux et très vivant, surtout si vous conservez quelques zones blanches.

Astuce

N'ayez surtout pas peur de déborder avec les pastels ou les encres. C'est ce qui en fait le charme et la singularité !

❹

M.L.V. - e

▲ Vous remarquerez que les pastels ont un rendu très « terrien » et les encres, un rendu « aérien ».

❺

M.L.V. - f

▲ Estompez ici ou là des traits de pastel trop appuyés : soulignez quelques détails d'une légère touche d'encre... Votre dessin est achevé !

Tissu, mouvement et couleur

Nous allons voir comment rendre, aux crayons de couleur et aux pastels secs, toutes les subtilités des variations que le mouvement donne aux tissus.

Donner un mouvement et une texture aux vêtements qui habillent un corps est primordial, puisque cela va participer de la vie du dessin. Nous allons le voir ici avec une technique mixte, faisant intervenir le pastel sec et le crayon de couleur, gaie et apte à rendre la matière. Le tissu a un mouvement, lié à celui du corps qui le porte, mais également induit par sa composition, son épaisseur et sa coupe. Un tissu mat et un tissu satiné, par exemple, ne réagissent pas de la même façon à la lumière. Nous allons observer ces phénomènes grâce à des exemples.

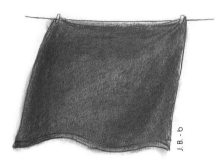

▲ Cette étoffe, lourde, pourrait être un drap de laine ou un feutre léger.

Un tissu raide
L'étoffe a des plis plus cassants et des reflets. Elle est plus légère puisqu'elle réagit davantage au vent mais semble plus raide.

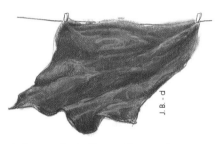

▲ Il peut s'agir d'une soie souple et satinée, d'un crêpe de satin léger.

Un tissu très léger
L'étoffe est mate d'aspect, très légère, soulevée par le vent. Elle semble également transparente.

Quelques matières

Imaginons que nous suspendions quatre étoffes de couleur semblable mais de texture différente au vent et sous le soleil. Voici les observations que nous pourrions faire...

Un tissu lourd
La première étoffe nous apparaît mate d'aspect, un peu épaisse, puisqu'elle réagit peu au vent, plutôt souple comme l'indiquent ses courbes.

▲ On peut voir dans ce tissu raide un taffetas de soie ou synthétique.

Un tissu souple
L'étoffe a des plis sinueux, de la brillance. Elle réagit beaucoup au vent et nous apparaît fluide et légère.

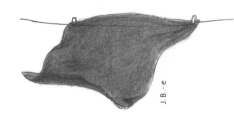

▲ Voilà un tissu léger qui pourrait être un voile, une mousseline de soie ou synthétique.

Documentez-vous

Nous vous conseillons de regarder les magazines de mode, certaines publicités, voire des catalogues de vente par correspondance, toutes sources iconographiques où vous auriez l'occasion d'observer de façon précise la relation entre corps et vêtement dans le mouvement.

À vous de jouer !

Si vous souhaitez réaliser ces dessins d'étoffes étendues au soleil, munissez-vous :

• de papier à grain moyen ;

• d'un crayon bleu moyen, pour tracer les contours et, par des hachures, accentuer les plis ;

• d'un pastel assorti plus clair, pour la mise en couleur, que vous estomperez au doigt ou au Coton-Tige ;

• d'un pastel blanc et d'un crayon blanc ou ivoire, pour marquer les zones de lumière ;

• de fixatif pour pastel en bombe.

Voici notre gamme de bleus.

❶ Pastel frotté.
❷ Pastel estompé.
❸ Un trait de crayon.
❹ Pastel frotté.
❺ Pastel hachuré.

Le vêtement en action

À présent, mettons en application ce que nous avons vu précédemment en proposant deux versions d'un vêtement soumis à une même action. Dans les deux dessins, la même femme danse, avec une robe de même coupe, mais exécutée dans des tissus différents – ce qui modifie complètement l'effet produit. Par conséquent, le traitement sera lui aussi différent.

Un tissu raide

La robe a de la brillance et une certaine tenue. Sa coupe et sa matière un peu rigide produisent de nombreux plis au niveau du buste. La taille étant basse et la jupe montée avec des plis, c'est à partir de là que le mouvement des plis s'inverse, ce qui renforce l'action de la danse en donnant l'idée d'un bassin en avant, imprimant un léger effet de vrille.

▲ On a renforcé plis et contrastes avec des hachures au crayon et des rehauts blancs.

Un tissu fluide

La robe réagit un peu de la même façon que précédemment. Mais sa matière étant plus souple, il y a moins de plis. Plus léger, le tissu s'envole beaucoup plus. Son aspect est mat. Le tissu comporte également par une légère transparence, que l'on peut traduire par une esquisse au crayon des jambes ainsi que par quelques traits nous donnant des indications sur l'arrière de la robe.

▲ La légèreté du tissu est rendue par un traitement estompé. Pour lui garder son aspect mat, on a peu usé de rehauts.

À vous de jouer !

Si vous souhaitez vous lancer dans la réalisation de ces dessins, voici la gamme de teintes que nous avons utilisée.

Pastel orange.

Pastel orange estompé.

Pastel ivoire ou vanille.

Crayon brun.

Crayon rouille.

Crayon orange clair.

Exercice

Voyons comment rendre, très simplement, aux crayons de couleur et aux pastels secs, le mouvement d'une petite fille qui danse.

▲ Reproduisez ce dessin représentant une petite fille en train de danser, de préférence en l'agrandissant.

Étape 1

Le pastel sec se travaille de façon beaucoup plus agréable sur un vaste format. Aussi vous proposons-nous d'agrandir le modèle.

Le format que nous vous conseillons : 22 cm de hauteur pour la petite fille.

Deux façons de procéder :

• reproduire le modèle à main levée, sur un papier de format plus grand, ce qui vous permet de vous exercer à rendre en dessin les plis des tissus ;

• décalquer le modèle, le faire photocopier en agrandissement, décalquer ce nouveau modèle et le reporter sur du papier à dessin. Cette formule vous permet de vous concentrer tout de suite sur la mise en couleurs.

Étape 2

Avec le crayon brun rouille utilisé en frotté léger, colorez l'ensemble du corps de l'enfant, puis revenez sur les parties à foncer en débordant à l'arrière du personnage.

Posez quelques touches frottées sur la robe pour donner du relief ainsi que sur l'arrière de la culotte et les pieds.

Revenez ensuite sur les parties les plus sombres du corps par des hachures pour foncer les ombres.

Le matériel

• Un crayon HB ;
• le cas échéant, deux feuilles de calque ;
• du papier à dessin ivoire ou vanille à grain, de type Buten ou Ingres ;
• du fixatif pour pastel, en bombe ;
• la gamme de teintes en pastels secs ou craies et de crayons ci-dessous :

Crayon brun rouille	Pastel jaune d'or
Crayon brun chocolat	Pastel bleu
Pastel orange	Pastel ivoire ou vanille

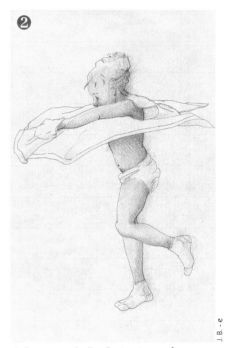

▲ Le corps de l'enfant est passé au pastel rouille en frotté léger, puis rehaussé sur les zones d'ombre.

Finissez en renforçant aux traits la chevelure, l'œil, le bas du nez, l'arrière du cou, la partie antérieure du bras, le dos, une partie du ventre, le nombril, l'arrière de la cuisse, le mollet et la partie avant de la jambe gauche.

Étape 3

Avec un morceau de pastel orange de 3 cm environ, frottez la robe en modulant pour créer du relief dans les creux et plis.

Frottez ensuite, plus légèrement, le corps de l'enfant, en débordant vers l'arrière et en respectant le travail d'ombres fait précédemment au crayon.

❸

❹

Étape 4

Avec le bout de pastel orange, frottez légèrement l'ensemble de la feuille en oblique, en évitant de couvrir le corps de l'enfant. Puis faites de même avec un morceau de pastel bleu de taille similaire. Prenez un morceau de pastel ivoire de même longueur, frottez les pieds, le côté de la cuisse gauche, le ventre, la partie supérieure du bras et l'avant du visage. Avec le crayon brun chocolat, aux traits et en hachures, renforcez la chevelure, le dos, la culotte, les pieds, ainsi qu'une partie du ventre, et le nombril. Faites de même sur la robe : le tour, le haut de la poche, l'emmanchure et le boutonnage. Vaporisez un nuage de fixatif sur l'ensemble. Puis ajoutez quelques traits rapides de pastel ivoire sur les reliefs de la robe et quelques touches sur le front et les joues. Avec le crayon brun rouille, adoucissez le pastel ivoire posé sur l'arrondi du ventre et renforcez quelques ombres de la robe. Vaporisez du fixatif pour protéger votre dessin achevé.

▲ Les pastels jaunes et orange, sur les vêtements et la chevelure de l'enfant, donnent du relief à la composition.

Avec un morceau de pastel jaune de même taille, frottez la culotte vers l'arrière, puis ajoutez quelques touches frottées sur la robe.
Au trait, marquez le pourtour du tissu, l'emmanchure, la poche, le boutonnage.
Reprenez le pastel orange et, par des traits vigoureux, marquez la chevelure et la culotte.

▲ Terminez par des touches de bleu, de brun chocolat, d'ivoire et d'orange. Le fixatif empêchera les pigments de se décrocher.

Ils ont écrit...

« Étoffes volantes ou stables
Les étoffes dont sont vêtues les figures sont de trois sortes : fines, grosses et moyennes. Les fines sont plus agiles et aptes aux mouvements. Par conséquent, lorsque la personne court, considères-en les mouvements, comment elle se plie tantôt à droite, tantôt à gauche, et comment, lorsque la jambe droite se pose, l'étoffe correspondante se soulève du pied, reflétant le choc de son ondulation. Et en même temps, la jambe qui reste en arrière en fait autant avec le tissu qui appuie sur elle ; et la partie qui est devant tout le corps se plaque, avec des plis divers, sur la poitrine, le corps, les cuisses et les jambes, tandis que par-derrière l'étoffe s'écarte, à l'exception de la jambe arrière. Les étoffes d'épaisseur moyenne font moins de mouvements, et les grosses n'en font presque pas, si le vent ne vient les aider... »
Léonard De Vinci.

Astuce

Connaissez-vous la différence entre le frotté et le trait ? Voici quelques illustrations pour vous éclairer ou rafraîchir votre mémoire.

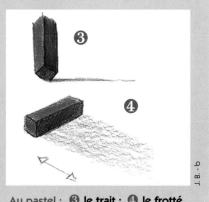

Au crayon : ❶ le trait ; ❷ le frotté.

Au pastel : ❸ le trait ; ❹ le frotté.

Encre et crayons de couleur

Ces deux médiums sont agréables à travailler et leurs couleurs peuvent être superposées sans que cela pose de problèmes de rapport « gras/maigre ».

Si ces deux médiums cohabitent bien d'un point de vue « chimique », il n'est pas forcément facile de les marier d'un point de vue « artistique ». En effet, la douceur des teintes des crayons de couleur peut rapidement être perturbée par la présence des encres. Dans les réalisations qui suivent, nous nous sommes limités à l'emploi de crayons de couleur « classiques », c'est-à-dire qui ne se diluent pas dans l'eau.

En ce qui concerne l'encre, nous l'avons utilisée avec un pinceau. Vous pourrez élargir le champ des investigations en variant les outils (plume, éponge...).

Le sujet et le fond

Sur un papier Canson, nous avons peint une pomme, en variant les possibilités qu'offre la technique mixte dans le traitement du sujet par rapport au fond. Examinons ensemble les différences en fonction des versions.

▲ On a réalisé la pomme avec des crayons de couleur et le fond à l'encre. En mouillant le papier et en faisant diffuser l'encre, nous avons essayé de conserver une douceur à l'ensemble.

Bien choisir son encre

Il existe différentes encres, plus ou moins brillantes et denses en couleur. Celles qui sont à base de gomme laque ont plus de brillance, mais elles ne peuvent être trop diluées avec de l'eau, sous peine de perdre leur qualité.

Savoir-faire

L'encre sèche très vite à l'air. Si vous peignez sur des petites surfaces, mettez sur votre palette de faibles quantités, que vous renouvellerez au fur et à mesure. Lorsque vous travaillez avec des crayons de couleur par superpositions, appliquez-les du ton le plus clair au plus foncé.

▲ Nous avons travaillé la pomme et le fond avec les deux médiums simultanément, par hachures et superpositions, ce qui donne plus de cohérence à l'ensemble.

◄ Ici, à l'inverse, c'est le fond qui a été réalisé avec des crayons de couleur. Traitée à l'encre, la pomme a beaucoup plus de présence et le traitement du fond est plus graphique.

Le travail en alternance

Un même paysage a donné lieu à deux études, que nous avons peintes suivant le même plan, en alternant encre et crayons de couleur. Nous les avons réalisées avec la même gamme de couleurs, en changeant simplement de papier support.

Observez bien les différences fondamentales que ces choix engendrent quant à l'atmosphère générale du dessin.

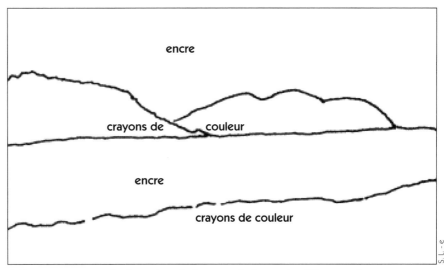

▲ Il nous est apparu logique de peindre avec de l'encre les éléments air et eau, et avec des crayons de couleur l'élément terre.

Sur du papier coloré

En choisissant un papier de couleur forte, nous avons pu peindre ce bouquet avec très peu de matière. En effet, nous n'avons pas eu le souci du « remplissage », qui est souvent problématique quand il s'agit d'un fond blanc.

▲ Nous avons choisi de mettre en valeur le sujet à l'encre et de laisser la couleur du papier très présente pour le fond. Cette légèreté graphique dans l'utilisation des médiums s'accorde bien avec l'idée de bouquet et la matière verre.

▲ Sur une feuille de papier Canson blanc, le paysage semble plus lumineux.

▲ Le papier Canson bleu ciel donne une tonalité à l'ensemble. Le bleu de l'eau et le gris du ciel sont plus intenses.

Exercices

Afin d'apprivoiser le rapport encre et crayons de couleur en technique mixte, nous vous proposons trois axes de travail qui vous permettront de doser ces deux médiums en terme de quantité.

1 : Le rehaut d'un portrait

Ce portrait a été réalisé avec des crayons de couleur par superpositions de tons : les tons « chair » avec des roses, des ocres, du rouge, des bruns puis des gris. Il est important d'appliquer vos couleurs sans appuyer sur le crayon, afin d'obtenir un teint de visage harmonieux. En utilisant l'encre avec parcimonie, vous respecterez la qualité de couleur des crayons.

2 : Des jeux de graphisme

Pour cet exercice, qui consiste à créer des univers graphiques variés, vous devrez vous munir d'un papier épais, du type

Bon à savoir

Vous devez être attentif au grain du papier que vous utilisez, puisque la couleur du crayon, en restant en surface, aura tendance à le faire ressortir. Il est par ailleurs important que vos crayons de couleur soient toujours bien taillés. Une pointe émoussée sera moins précise et marquera moins le papier.

❶

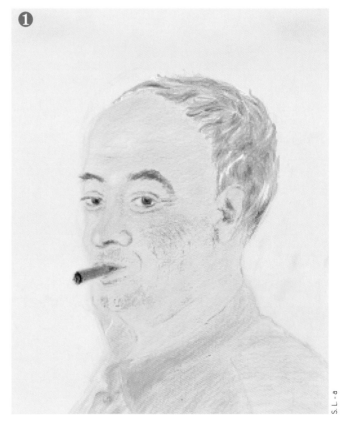

S. L. - a

◀ L'encre permet de rehausser certains détails ou certains traits. Ici, par exemple, elle est utilisée pour intensifier le regard du modèle. Les cheveux ont été peints en technique mixte, ce qui leur donne plus de corps et une matière très différente de celle de la peau.

❷

S. L. - b

◀ Même si certaines couleurs de crayons sont peu visibles, la mine laisse des traces dans l'encre humide, ce qui permet un travail très graphique.

papier Arche, qui supportera bien l'eau.

Avant de travailler le sujet de votre choix, faites des essais pour vous rendre compte des possibilités de combinaisons des deux médiums.

Il est intéressant de remarquer la différence de qualité d'une même couleur, suivant que l'on crayonne sur un support mouillé ou sur un support sec.

3 : Sur le thème de l'arbre

Nous vous proposons enfin un exercice de précision au cours duquel vous allez jouer sur l'emploi des deux médiums pour rendre un arbre. À cette fin, choisissez un papier cartonné lisse.

La mise en place de l'arbre s'est faite avec un crayon de couleur et les prémices du feuillage avec de l'encre.

À l'aide d'un pinceau fin, retravaillez l'écorce par petites touches, en conservant une souplesse dans le traitement des feuilles.

Pour le sol, passez un jus d'encre sur lequel, après séchage, vous travaillerez en alternance avec l'encre et les crayons de couleur.

Cette étude inachevée ▶
permet de percevoir
au mieux la manière de procéder.

Du bon usage de l'encre

• Travaillez avec plusieurs pots à eau afin de ne pas salir les couleurs.
• Utilisez une assiette plate blanche en guise de palette. C'est l'idéal pour procéder à vos mélanges de couleurs.

❸

S.L.-c

▲ Après avoir mouillé le papier, faites quelques taches d'encre de manière aléatoire. Travaillez ensuite de façon graphique avec le crayon pour préciser l'arbre et la végétation, d'abord sur le support mouillé puis après séchage.

S.L.-d

Photographie et peinture acrylique

Comment se faire plaisir et obtenir rapidement un résultat sans se poser de problèmes de dessin, de proportions ou de construction ? En peignant sur une photo avec de la peinture acrylique.

Nous avons choisi comme thème le jardin d'agrément pour illustrer ce cours, parce qu'il est riche en éléments de composition : plantes, fleurs, arbres, pierres, statues...

La peinture acrylique offre de nombreux avantages : un séchage rapide, une bonne adhérence sur le papier, une souplesse dans son utilisation et une grande qualité au niveau des couleurs. De plus, sa composition (non grasse) ne dénature pas le support papier sur lequel on l'applique.

Choix du support

En ce qui concerne le support photographique, vous trouverez largement votre bonheur dans les magazines qui traitent de jardins ou de décoration.

Vous pourrez ainsi opérer votre sélection parmi les différents types de jardins proposés (à la française, à l'anglaise, exotique, aquatique...) et recadrer les photos qui vous intéressent. En utilisant directement ces photos ou en les photocopiant (en couleurs), vous disposerez d'un support à peindre.

Astuces

Il est important de se poser quelques questions avant de se lancer. Questions dont les réponses varieront en fonction du sujet choisi...

Comment vais-je appliquer la peinture ? En quelle quantité ? Quel est le résultat que je veux obtenir ? Que m'inspire le sujet photographique sur lequel je peins ?

Ces choix sont importants, car il ne s'agit pas de colorier mais de peindre et donc d'apporter sa touche personnelle.

Du bon usage des photos

Si vous prenez vous-même des photos, vous devrez alors travailler sur des photocopies couleurs de celles-ci, sinon la peinture acrylique n'adhérera pas.

La photocopie couleurs vous permet de réduire ou d'agrandir votre sujet et de le recadrer : profitez-en !

▲ À gauche, la photo, à droite, le complément à la peinture acrylique. L'emploi de la terre de Sienne naturelle pour peindre le mur et le pot apporte de la chaleur à l'ensemble, tandis que quelques touches de vert et de rouge dans le feuillage en rehaussent l'éclat.

Quelques combinaisons

Il y a différentes façons de combiner les deux matériaux que sont la photographie et la peinture acrylique. Nous ne traiterons ici de la photographie qu'en tant que support sur lequel on peint, c'est-à-dire comme toile de fond. Cela offre déjà un éventail de possibilités de traitement en peinture acrylique dont nous allons voir ensemble quelques exemples.

◀ ▼ En haut, la photo, en bas, la photo agrémentée à la peinture. Le choix du violet joue le jeu des complémentaires avec le jaune.

Vous pourrez comparer un détail de la photographie originale et sa transformation, ce qui vous permettra de mieux juger des variations au niveau des couleurs et du rendu des matières. Avec très peu d'acrylique, on conserve un caractère très réaliste au sujet, tout en donnant l'illusion d'une peinture. Dans l'illustration page précédente, la peinture a été appliquée en touches légères et très diluée pour le fond.

On peut rester fidèle au sujet et néanmoins intervenir dans le choix des couleurs. Dans l'illustration en bas à gauche, la peinture a été appliquée partiellement sur le fond en tapotant à l'aide d'un pinceau et les fleurs ont été peintes à l'aide d'une brosse.

À partir du sujet « classique » que sont les fleurs, on peut obtenir un résultat très stylisé. Dans l'illustration ci-dessous, le sujet est traité en aplats colorés qui recouvrent entièrement le support photographique.

▼ La palette, très vive, est assez proche de la photographie du départ, mais elle a été simplifiée et modifiée par l'ajout des mauves et des violets.

On peut donner une atmosphère particulière au jardin ou bien, le cas échéant, accentuer celle qu'il dégage déjà.

Dans l'illustration qui suit, la peinture a été appliquée à l'éponge. Après avoir peint la statuette à l'aide d'un pinceau fin, nous avons retravaillé l'ensemble à l'éponge, pour obtenir une cohérence au niveau des différents éléments en présence.

▲ Il se dégage de cette interprétation une atmosphère « brumeuse » et un peu étrange.

Exercices

La variété des formes et des couleurs des fleurs va vous permettre d'essayer deux types de traitement en peinture : les aplats colorés et le travail à l'éponge.

Dans les deux cas, voici quelques conseils pratiques :
• collez votre support photo sur un carton fort ou un carton plume, dont la surface est lisse ;
• ce carton doit être plus large que la photo à coller, afin de faciliter le collage et de ne pas restreindre l'amplitude du coup de pinceau ;
• utilisez de la colle en bombe ; vous pourrez commencer à peindre immédiatement et ne craindrez pas que le papier « gondole » ;
• ne diluez pas trop votre peinture si vous voulez qu'elle reste couvrante et qu'elle adhère bien sur le support photo.

Avant de commencer...

Lorsque vous aurez sélectionné un certain nombre de photos de magazines, vous aurez deux possibilités de travail. Vous pourrez peindre directement sur la page : la peinture acrylique ayant un rendu moins brillant que le papier glacé des magazines, vous pourrez jouer sur les contrastes mat brillant. Ou bien vous pourrez peindre sur une photocopie couleurs. Cette dernière option présente les avantages de vous permettre de garder intact le modèle de référence et de pouvoir y jeter un œil pendant que vous peignez. Grâce à ce procédé, vous pourrez réduire ou agrandir votre sujet, ce qui vous offre une liberté au niveau du format.

Exercice 1

Nous avons choisi des nénuphars pour la simplicité de leur forme et la pureté de leurs lignes. La photographie a été complétée par des aplats colorés.
Le travail en peinture a été interrompu pour que vous puissiez faire la comparaison avec l'original et achever la transformation. Pour ce faire, vous pouvez photocopier (en l'agrandissant, éventuellement) ce document.
Un conseil : laissez l'eau sous son aspect photographique. En effet, la peinture risquerait d'alourdir cette partie et les reflets sont plus intéressants lorsqu'ils restent photographiques.

▼ À vous de transformer la partie non traitée (à gauche), en vous inspirant de la partie traitée (à droite).

Les aplats colorés

C'est un travail minutieux et qui peut prendre du temps, mais qui vous surprendra dans le rendu, car cette technique donne un caractère abstrait au sujet et une pureté dans les lignes.
Toutes les fleurs peuvent se prêter à ce type de traitement. Il faut simplement choisir une photographie qui les mette en valeur, comme un gros plan.
Recadrez au besoin la photo choisie, pour ne pas vous encombrer d'éléments « parasites ». Le regard doit être attiré par l'ensemble floral.

Bon à savoir

Lorsque vous travaillez en aplats colorés, changez régulièrement l'eau du pot dans lequel vous rincez vos pinceaux, afin de conserver des couleurs franches.

▲ Les feuilles flottant à la surface de l'eau permettent un jeu de formes et de couleurs qui contraste avec le blanc des fleurs.

Exercice 2

Comme dans l'illustration précédente, nous ne sommes intervenus que sur une partie de la photographie. Amusez-vous à compléter la partie gauche à l'éponge !
Coupez une éponge en morceaux de diverses grandeurs. Cela vous permettra d'intervenir sur des zones de différentes tailles. Le travail s'effectue en plusieurs étapes :
• l'ensemble est travaillé à l'éponge, en respectant les variations colorées qui donnent du relief à l'ensemble ;
• à l'aide d'une petite brosse, on marque quelques feuilles, les fleurs en bouton et les roses ;
• les iris (au premier plan) sont peints au pinceau fin pour les détacher du reste.

Exercice 3

La plupart des jardins d'agrément offrent un inventaire de

▲ Toutes proportions gardées, ce traitement évoque assez les fameux jardins de Monet.

verts qui peut vous permettre de vous exercer. En observant les rapports entre les différents verts en présence, vous pouvez décliner cette couleur par des mélanges et transposer la réalité dans un registre personnel.

Pour cette vue de jardin composée de différents types d'arbres et d'arbustes, nous avons mis en correspondance la palette utilisée et la peinture réalisée.
À votre tour de tenter l'expérience du vert en choisissant la photographie qui vous intéresse.

Du bon usage de l'éponge

• Le travail à l'éponge permet une rapidité dans l'exécution et un rendu « impressionniste ». Les sujets idéaux sont les buissons de fleurs ou les massifs.
• Ne chargez pas trop votre éponge en peinture. Frottez-la sur une feuille de papier avant de l'appliquer sur la photographie. Faites des passages successifs.
• Ne mouillez pas votre éponge. Préférez une peinture assez épaisse, comme pour la technique du pochoir.
• Vous pouvez utiliser des mélanges non homogènes. Plusieurs couleurs (à peine mélangées) sur un même morceau d'éponge se mélangeront sur le support et leur combinaison produira un bel effet.

▲ Voici la liste des couleurs utilisées : pourpre, vert de Hooker, bleu de cobalt, vert fixe clair, jaune de cadmium clair, rouge de Mars. Le blanc et le noir sont utilisés pour nuancer une même couleur.

▲ Dans cet océan de verts, les bosquets bleus qui entourent le petit pavillon, résolument imaginaires, apportent une touche lumineuse très personnelle. N'hésitez pas à prendre ainsi des libertés avec la réalité : c'est le principe même de cette technique mixte.

175

Les travaux des champs

Maintenant que vous avez expérimenté différentes techniques, vous allez pouvoir aborder ce thème en faisant vos propres choix. Mais, avant, il est important d'avoir quelques pistes de travail et d'observation.

De toutes les inventions, l'agriculture a certainement été la plus marquante pour l'homme, parce qu'elle lui a permis de se sédentariser, mais aussi et surtout d'apprivoiser la nature et d'en modifier peu à peu l'aspect. Et c'est l'agriculteur qui, par son activité, a donné à nombre de paysages leurs formes et leurs couleurs.

Les thèmes

Commençons par des croquis d'observation, avant de passer à la peinture.

L'humain
Exercez-vous à mettre en relation une silhouette humaine et un paysage. Généralement, l'agriculteur est en mouvement. Mais même lorsqu'il est immobile, son attitude, son costume

◄ Réalisé avec des crayons de couleur, ce dessin met en avant la figure humaine par rapport à la machine et au paysage. C'est un homme au repos en situation d'observation. Il ne s'agit pourtant pas d'un promeneur, car l'outil qu'il tient dans la main et la partie visible de la machine (derrière lui) définissent sa fonction.

S. L - a

et les outils dont il est muni indiquent son activité.

L'animal
Même s'ils ont pratiquement disparu de nos champs, les animaux ont participé activement à la mise en place de l'agriculture. Ce rapport homme-animal est intéressant à observer comme une confrontation physique.

S. L - b

Le saviez-vous ?

C'est au Proche-Orient que les archéologues situent le berceau de l'agriculture (8 000 ans avant notre ère). Les premières cultures furent des cultures céréalières (blé et orge).

Ce dessin a permis de mettre ▶ en place le rapport de masse entre un homme et un cheval de trait, avançant au pas l'un à côté de l'autre.

Le travail collectif

L'agriculture, telle qu'elle se pratique actuellement dans nos sociétés, est devenue une activité mécanisée et individuelle. Il est pourtant fascinant d'observer des corps d'individus qui travaillent ensemble.

Les mains

Les mains qui façonnent ou qui tiennent des outils sont intéressantes à étudier. Lorsque vous dessinez une main, représentez d'abord sa structure globale avant de la détailler. Lorsqu'une main est posée à plat, sa forme générale peut s'apparenter à une moufle épaisse.

◀ Réalisé avec de la craie Conté Sépia et des crayons de couleur, ce croquis permet de mettre en présence les différentes positions des corps et de donner les premières indications de couleurs.

Bon à savoir

Lorsque vous utilisez une photo comme modèle, pensez à la recadrer pour ne choisir que ce qui vous intéresse. Vous pouvez également opérer un choix parmi les éléments en présence afin de recomposer l'image (par suppression ou par collage). Bref, n'hésitez pas à l'améliorer ni à y mettre votre touche personnelle !

La machine

Parce qu'elle fait également partie du paysage, la machine agricole, symbole des moyens que s'est donnés l'intelligence humaine pour dompter la nature, peut être un thème d'inspiration.

▼ Ce dessin réalisé avec des crayons de couleur et des crayons pour aquarelle traite la machine en tant que silhouette. Avec le parti pris du contre-jour, cette moissonneuse-batteuse devient presque animale.

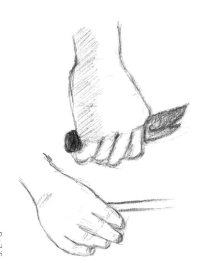

▲ En les reproduisant par des dessins rapides, vous pouvez étudier la position des mains et leur structure.

Les techniques

Aborder les travaux des champs en peinture pose la question de la technique à employer. C'est en effet elle qui donnera au sujet un rendu particulier dans les matières. L'atmosphère qui s'en dégagera variera également d'une technique à l'autre. Nous vous proposons ici trois sujets traités avec des techniques différentes.

L'aquarelle

Dans l'exemple ci-dessous, nous avons privilégié le premier plan, afin de mettre en valeur l'agriculteur en action. Quelle que soit la scène que vous choisissez, il est nécessaire de partir d'un dessin précis au crayon graphite avant d'aborder l'aquarelle.

Par ses transparences, celle-ci donne de la douceur à l'image. Dans notre scène, il se dégage une certaine sérénité, un bonheur simple, ce qui est déjà un parti pris par rapport à la réalité.

Les crayons, l'aquarelle et l'encre

La jeune femme soudanaise de l'exemple ci-dessous transporte dans un panier la récolte de céréales. La simplicité du paysage et la présence forte de la jeune femme (et de son ombre) rapprochent cette image de l'univers d'une bande dessinée. Comme dans l'illustration précédente, c'est le personnage qui occupe le premier plan et qui est mis en valeur par rapport au paysage.

Astuce

Attention ! Quand vous peignez une surface à l'encre, assurez-vous que les surfaces voisines sont sèches, afin que l'encre ne se diffuse pas.

▲ On a traité le champ de choux de façon assez libre, sans entrer dans les détails. Cela a pour effet de recentrer le regard sur le personnage. La dominante de tons froids est contrecarrée par des touches jaunes et chair qui apportent de la chaleur et de la vie à l'ensemble.

▲ Nous sommes partis d'un calque réalisé à partir d'une photographie. Les traits de crayon, que nous avons plus ou moins estompés au pinceau, donnent au sujet un rendu graphique. L'encre, utilisée pour le vêtement et le contenu du panier, met en valeur ces matières, qui tranchent ainsi avec le reste.

Bon à savoir

Même si, aujourd'hui, l'activité des champs est largement mécanisée, vous pouvez profiter de vacances à la campagne pendant les semailles ou les moissons pour croquer quelques scènes.

La peinture acrylique

À partir d'une photographie, nous avons réalisé un croquis à main levée.

Sans entrer dans les détails, avec ce premier dessin, nous avons donné une base à la peinture en installant les masses et les différents plans. L'usage de brosses pour appliquer la peinture a permis de rendre compte de la matière de la paille. Il s'en dégage une impression d'abondance propre à la période des récoltes. Cette impression est renforcée par le point de vue en plongée, qui rend visible une grande partie de la paille récoltée ainsi que le personnage perché dans la charrette.

La paille amassée dans cette dernière constitue une sorte de passerelle entre le premier et le deuxième plan.

Les traits de brosses bien visibles donnent de l'énergie et de la vivacité à l'ensemble. À l'arrière-plan, à l'aide de vifs coups de brosse dirigés vers le haut, on a reproduit une longue bande boisée.

Enfin, avec la peinture acrylique, il est tout à fait possible de placer a posteriori quelques rehauts où on le souhaite.

Ainsi avons-nous pu appliquer quelques touches de blanc dans le chaume, sur les cornes des bœufs et sur les vêtements des paysans, et de jaune sur le vert du deuxième plan.

▲ La charrette de paille tirée par des bœufs que nous avons choisie comme modèle appartient au passé. Le point de vue de l'observateur, légèrement en plongée, est intéressant car il rend bien visibles tous les éléments qui constituent la scène.

Astuce

À la manière d'un photographe, il est intéressant de choisir des points de vue différents du rapport frontal « classique ». Une vue en plongée ou en contre-plongée donne une autre dimension et apporte souvent du dynamisme au sujet.

Ne pas oublier

Quelques rappels élémentaires... Testez toujours vos mélanges sur une feuille de papier brouillon avant de les appliquer, afin de vérifier les couleurs. Par ailleurs, ayez toujours à portée de main du papier absorbant pour réguler la quantité d'eau du pinceau.

Transparence et reflets

Passons à l'étude du thème de la transparence et des reflets en y intégrant la couleur, la peinture et d'autres techniques.

On peut observer la transparence dans de multiples scènes d'intérieur ou d'extérieur. On peut reproduire les reflets qu'elle crée, avec plus ou moins de fidélité ou d'interprétation. Il est aussi possible d'en jouer, de mettre à profit les effets de miroir à répétition. On peut même la créer de toutes pièces pour donner une ambiance particulière à un sujet classique… Nous allons étudier ici ces possibilités diverses, aussi riches les unes que les autres, à travers l'emploi d'une technique donnée.

L'aquarelle

L'exemple ci-dessous est une aquarelle librement inspirée d'une peinture de Claude Monet, un artiste qui affectionnait les sujets aquatiques.

On a réalisé les reflets des voiles sur les petites vagues en réservant le blanc du papier. Cela donne une « solidité » graphique à l'eau, tandis que l'on a évoqué la transparence du ciel en utilisant la diffusion de la couleur sur le papier humidifié.

▼ L'aquarelle, par sa fluidité, et du fait qu'elle laisse transparaître le blanc du support, est une technique idéale pour rendre les effets de transparence.

B.P.-a

L'acrylique

La petite peinture à l'acrylique ci-contre exploite les ressources de transparence de cette technique, pour faire de ce sujet banal un jeu formel.

Les pommes ont été peintes avec des empâtements de peinture opaque : cela fait mieux ressortir le caractère immatériel de la bande verticale jaune qui se situe au milieu de la composition. Pour la réaliser, on a collé deux bandes d'adhésif repositionnable, entre lesquelles on a appliqué la peinture mélangée à beaucoup de médium.

▲ Vous pouvez remarquer que la couleur des pommes se reflète dans les ombres portées sur la table.

L'acrylique et le feutre

La composition ci-contre est inspirée de certaines réalisations du peintre Francis Picabia. Dans quelques-unes de ses œuvres, il s'est en effet amusé à enchevêtrer plusieurs images distinctes. Afin que les jeux de transparence puissent se compléter sans se nuire, on a choisi des traitements différents. Tout d'abord, une peinture assez détaillée à l'acrylique, sur laquelle vient se greffer un dessin au feutre noir doublé de rouge, dont le traitement reste volontairement très linéaire.

Astuce

La transparence et les reflets se manifestent sous des aspects infiniment variés. Observez attentivement, sous différents angles, toutes les surfaces réfléchissantes que vous pouvez rencontrer.

▲ La combinaison du travail à l'acrylique et des traits au feutre donne une certaine profondeur au jeu des transparences.

Les jeux de calque

L'exemple ci-contre utilise les ressources de transparence du papier cristal (ici, des feuilles arrachées à un vieil album photographique).

On a dessiné le corps nu à la sanguine. Puis on a posé le morceau de papier cristal au centre du dessin.

Afin de mieux comprendre le plissé du tissu de la jupe et sa façon de s'adapter au corps, on a donc dessiné le vêtement sur le papier cristal en laissant les jambes apparentes. Le calque a ensuite été fixé au dessin avec du ruban adhésif transparent et une épingle. Il s'effectue un glissement amusant du sens entre un modèle habillé de tissu et un dessin habillé de calque. Le jeu de transparence et de matière rend le motif très intéressant.

◀ Le dessin du corps, en dessous, a été réalisé à la sanguine. Celui de la jupe, au crayon à papier.

B.P.-a

Le collage

L'exemple final est une composition qui repose sur l'utilisation du collage de papier métallisé et de fragments de miroir. La transparence est ici créée par l'artiste, à l'aide des bandes de papier métallisé sur lesquelles il a prolongé le dessin. Le terme « reflet », quant à lui, est pris véritablement au pied de la lettre, puisque l'observateur peut lui-même se voir dans les morceaux de miroir !

◀ Bien entendu, l'effet rendu par les fragments de miroir n'est pas le même dans cette reproduction que dans l'œuvre originale. Veillez à utiliser une colle forte pour fixer ces morceaux.

B.P.-b

Exercice

L'exercice que nous vous proposons est un jeu sur les transparences, à partir d'une base très modeste.

Votre exercice

Reproduisez à main levée le petit dessin ci-dessous ou utilisez une de vos propres réalisations comme base de cet exercice.

En utilisant un papier calque et un feutre, réalisez un deuxième exemplaire de votre dessin.

Déchirez le calque en son milieu et collez-le autour du premier dessin en faisant se chevaucher légèrement les motifs.

Déchirez des lambeaux de papier de soie de différentes couleurs et collez-les en jouant avec les transparences.

Complétez l'harmonie avec quelques touches d'aquarelle, de gouache et de crayons de couleur. Le résultat doit s'approcher d'une vue kaléidoscopique.

Le matériel

- Du papier à dessin ;
- du papier calque ;
- du papier de soie de différentes teintes ;
- de la colle ;
- un crayon à papier ;
- un feutre noir ;
- des crayons de couleur ;
- de l'aquarelle ;
- de la gouache.

▲ Votre dessin de base, à reproduire à main levée.

▲ Voilà un exemple de ce que vous pouvez obtenir par ce procédé.

Ciel et nuages

Si un élément peut devenir majeur dans un paysage, c'est bien le ciel. Il est important d'en soigner la réalisation car c'est une composante à part entière d'une œuvre.

Le ciel est l'espace où vous pourrez laisser libre cours à votre fantaisie : les nuages ne peuvent-ils pas prendre toutes les nuances et toutes les formes ? Vous allez vous rendre compte que quelques principes très simples suffisent à mettre en place une « impression » de ciel.

Le ciel comme sujet

Certains paysages se prêtent à des évocations de ciels somptueux qui deviennent presque le sujet principal du dessin.

C'est le cas de la composition ci-contre, très simple en apparence, représentant une plage. On a volontairement largement réduit l'échelle de représentation des personnages afin de donner toute la place aux nuages, d'intensifier leur pouvoir d'évocation de l'immensité céleste.

▲ Le rapport a été inversé : ce sont les personnages qui sont devenus les ponctuations du ciel et non plus les nuages qui viennent compléter une scène de genre.

Photographiez le ciel !

Lorsque vous remarquez un ciel particulièrement spectaculaire, n'hésitez pas à vous saisir de votre appareil photo et à prendre quelques clichés à plusieurs minutes d'intervalle. Cela ne vous dispense nullement de faire des croquis rapides. Une fois développées, vos photographies vous serviront à préciser votre dessin.

Les techniques sèches

On peut réaliser de très intéressantes études de nuages en noir et blanc à l'aide d'un fusain. Sa souplesse d'utilisation permet de travailler librement les formes, les volumes et l'éclairage : vous pouvez modifier à votre guise votre composition de nuages en estompant ou, à l'inverse, en ajoutant de la matière. Le pastel sec et la craie se prêtent également très bien au traitement du sujet, car on peut les estomper et les étaler avec le doigt, ce qui convient pour rendre le flou des nuages. Essayez de réaliser ce genre de motifs en série, afin d'être le plus spontané possible.

Vous pourrez ensuite réutiliser ces esquisses dans des compositions de paysage plus élaborées.

◀ Croquis au fusain. Cette technique permet de travailler sur les masses et les formes, ainsi que sur les ombres et les lumières.

B.P.- d

Ce croquis au fusain ▶ a été réalisé sur un papier crème : cela a permis de donner plus de « moelleux » aux blancs réalisés à la craie. Un soupçon de bleu offre un discret contrepoint coloré, sans que l'aspect « dessin en noir et blanc » soit vraiment perdu.

B.P.- e

B.P.- c

▲ On a réalisé ce croquis au pastel sec en s'inspirant de la photographie donnée en exemple. Vous pouvez cependant noter quelques différences : un « groupe » de nuages a été isolé sur fond de ciel bleu ; ils sont éclairés par le haut et non plus par un soleil couchant (qui, sur la photo, les éclaire par le bas) ; leur forme a été arrondie ; enfin, la direction de leur déplacement, suggérée par les lignes blanches, a été inversée.

B.P.- f

▲ Toujours avec le même type de nuage un peu rond, on a réalisé une esquisse sur un papier coloré d'un ton assez sombre et chaud. Vous remarquerez que certains bords du nuage sont dessinés avec précision, tandis que d'autres sont flous et diffus. On a retravaillé le centre, estompé, avec le bâtonnet de pastel blanc afin de donner plus de rondeur au nuage.

Les techniques humides

À partir des exemples ci-contre, nous vous proposons quelques astuces techniques pour réaliser des impressions de ciels nuageux en utilisant les ressources propres du papier et des techniques humides. On a ici utilisé de l'aquarelle avec de la gouache. Les mêmes principes très simples peuvent s'adapter à la peinture à l'huile ou à l'acrylique.

Il est important de bien choisir le papier. Les très bons papiers aquarelle assez épais vous permettront de réaliser des peintures en vous laissant guider par les qualités propres d'absorption plus ou moins rapide des pigments et de l'eau. De là naissent des effets impossibles à obtenir avec des papiers ordinaires.

Les astuces que nous vous proposons jouent beaucoup sur l'aléatoire, vous ne maîtriserez pas tout à fait les résultats. Mais ces méthodes sont idéales pour le traitement du sujet. Il serait vain en effet de rechercher la précision dans la peinture d'un ciel, naturellement fugace. C'est plutôt la recherche d'une ambiance qui doit vous guider. N'oubliez pas de mettre à profit le blanc du papier : il peut vous aider à créer une impression de profondeur.

Un ciel couvert

Il arrive souvent que le rapport ciel bleu/nuages soit nettement à l'avantage des seconds. Le blanc occupe alors la quasi-totalité de la surface. Quelques touches de bleu estompées peuvent être du meilleur effet.

B.P. - a

▲ Ce ciel a été réalisé de la manière la plus simple qui soit : on a frotté le papier avec une bougie, puis on a passé un lavis de gouache bleu dégradé. Après séchage, il a suffi de passer un fer chaud sur le dessin en intercalant une feuille de papier pour absorber l'excédent de cire.

B.P. - b

▲ On a obtenu ce ciel en passant un lavis dégradé sur toute la feuille, en utilisant deux tons d'aquarelle, puis en appliquant fortement par endroits des morceaux de papier absorbant afin de faire réapparaître en partie le blanc du papier. Quelques instants plus tard, on est revenu avec quelques gouttes de bleu que l'on a déposées autour des zones blanches : la couleur se diffuse dans le bleu, mais reste aux abords de la zone épongée en formant un contour net et irrégulier.

B.P. - c

▲ On a alterné travail sur des zones préalablement humidifiées et travail sur papier sec. Cela donne de la vigueur au dessin et permet d'obtenir des blancs très purs.

◀ On a tout d'abord procédé avec un lavis dégradé, puis on est revenu au centre du nuage avec le bout du pinceau chargé de gouache noire, tout en remouillant certaines zones devenues trop sèches. L'alternance des parties nettes et des parties floues contribue à rendre une impression en volume d'un nuage vu comme à contre-jour.

▼ C'est une approche différente qui est proposée ici : il s'agit d'ajouter de la couleur plutôt que d'en retirer. Sur une feuille mouillée, on a passé un lavis d'aquarelle dégradé du jaune au bleu. Après quelques minutes, durant lesquelles le papier a absorbé l'eau, de la pointe du pinceau on a ajouté de la gouache blanche non diluée. Celle-ci s'est diffusée modérément dans la couleur sous-jacente. Après séchage complet, on est revenu avec de la gouache pure qui a donné des blancs plus francs et créé du volume.

▲ Le fond est ici coloré avec des encres. Alors qu'il n'était pas tout à fait sec, on a déposé de la gouache grise, puis blanche, presque sans dilution. Le blanc se situe vers le bas : cela signifie que le soleil, proche de l'horizon, éclaire les nuages par-dessous.

Voici un exemple de ciel très ▶ orageux ou obscur. On a utilisé un papier aquarelle de couleur crème, sur lequel on a déposé un lavis de gouache noire assez dense. Puis on est revenu à plusieurs reprises avec de la gouache blanche de moins en moins diluée. Des traînées de gouache noire se sont diffusées dans le lavis encore frais.

Exercice

Nous vous proposons de réaliser une scène de plage où le ciel tient le rôle principal, mêlant l'aquarelle et la gouache.

Première étape

Esquissez le personnage avec la pointe d'un crayon de couleur rouge ou d'une sanguine grasse. Figurez aussi son ombre au sol. Mouillez le papier dans son intégralité et, en partant du haut, passez un lavis d'aquarelle bleu de cobalt avec le gros pinceau. Ne tenez pas compte du personnage et recouvrez-le de votre lavis. Arrêtez-vous à la moitié de la feuille environ. Déposez une nouvelle fois du bleu de cobalt dans le haut du ciel.

Chargez ensuite votre pinceau successivement de bleu turquoise et d'ocre jaune, et peignez l'horizon et le sable en laissant la couleur se diffuser.

Prenez aussitôt un morceau de papier absorbant et épongez la surface du personnage, puis créez des taches claires en épongeant le ciel.

Le matériel

- Du papier aquarelle, épais, de préférence de très bonne qualité, qui vous permettra d'obtenir des effets très doux ;
- de la sanguine grasse ou un crayon rouge ;
- de l'aquarelle : bleu de cobalt, bleu turquoise et ocre jaune ;
- de la gouache : noire et blanche ;
- du papier absorbant ;
- deux pinceaux : un moyen et un gros.

B. P. - a

▲ **Étape 1 :** travaillez à l'aquarelle en technique humide.

Autour de la zone épongée, ajoutez des gouttes du mélange eau/aquarelle qui vous a servi à peindre le ciel. Laissez la couleur se diffuser sans intervenir.

Seconde étape

Laissez votre papier sécher un peu, puis déposez quelques gouttes de gouache noire diluée dans la partie gauche du nuage c'est-à-dire celle qui est à l'opposée de la lumière solaire. À certains endroits, laissez le gris se diffuser dans le lavis bleu. À d'autres, revenez avec de la gouache plus concentrée.
Travaillez ensuite le personnage et les rochers, avec la sanguine ou le crayon ainsi qu'avec de la gouache très diluée.
Colorez succinctement le maillot de bain et la chevelure. Accentuez ainsi les ombres propres et l'ombre portée du personnage. Gardez toutefois à l'esprit que cet élément n'est là que pour mettre en valeur un paysage où le ciel tient le rôle principal. N'entrez donc pas trop dans les détails.
Lorsque votre papier est plus sec, déposez quelques touches d'aquarelle ocre jaune sur le gris des nuages. Cela a pour effet

visuel de les faire se détacher vers l'avant par rapport au plan bleu du ciel.
Puis, une fois votre papier sec, déposez quelques rehauts de gouache blanche, presque sans la diluer, sur le sable (réverbération du soleil), l'eau (écume des vagues) et le personnage.
Voilà votre composition est terminée !

▲ Étape 2 : la gouache fait son apparition. Des touches de gouache noire plus ou moins diluées donnent de la profondeur aux nuages.

B.P.-b

Petit lexique pictural

Il est impossible de répertorier tous les termes relatifs aux procédés picturaux. Nous vous proposons néanmoins un lexique qui récapitule les principales expressions rencontrées en chemin.

Adjuvants
Matériaux incorporés à la peinture pour en changer la texture : sable, sciure, poudre de marbre…

Alla prima
Expression italienne signifiant « peindre son tableau en un seul jet ».

Aplat
Couche de couleur opaque déposée uniformément.
Les peintures en aplat sont généralement associées à l'acrylique, qui rend plus difficiles les dégradés subtils.

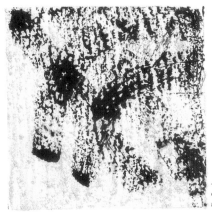

▲ Une nature morte réalisée en aplat.

Blaireautage
Fait de déposer, à l'aide d'un pinceau, une couleur non diluée, créant des effets de matières, selon le support utilisé.

▲ Un résultat du blaireautage.

Camaïeu
Peinture où l'on n'emploie qu'une couleur avec des tons différents.

▲ Un camaïeu de brun.

Décharger une couleur
Retirer de la couleur encore fraîche, soit en la grattant, soit en y appliquant un papier pour en diminuer l'empâtement.

Empâtement
Épaisseur d'une couche de peinture. Pour obtenir une pâte épaisse, les peintres ont recours à un médium d'empâtement ou appliquent la couleur directement à l'aide d'un couteau à peindre.

Frais sur frais
Fait de superposer des couleurs sans attendre qu'elles sèchent.

Frottis
Fait d'appliquer une couleur en laissant transparaître la couche du dessous. Ce terme s'applique à toutes les techniques.

▲ Frottis d'acrylique.

▲ Frottis de pastel sur fond acrylique.

Glacis
Fine couche de couleur translucide. Pour réaliser un glacis, on incorpore à la couleur un médium spécialement adapté à cette technique.

▲ Fonds jaunes sur lesquels ont été appliqués des glacis rouge et bleu.

Gras sur maigre
Peindre « gras sur maigre » est un principe fondamental pour la peinture à l'huile. Il faut toujours appliquer les couleurs contenant une forte proportion d'huile sur celles qui en ont le moins. La technique inverse implique des risques de craquelures, la couche la plus grasse mettant plus de temps à sécher.

Lavis
Surtout utilisé pour l'aquarelle, ce terme désigne une couche de couleur très diluée et appliquée uniformément.

Liants
Tous les produits servant à agglomérer les pigments : gomme arabique pour l'aquarelle, huile de lin pour la peinture à l'huile, cire, œuf, etc.

Marouflage
Procédé qui consiste à coller une œuvre, qu'elle soit sur papier ou sur toile, sur un nouveau support. Cette opération s'effectue traditionnellement à chaud, à l'aide d'une colle de peau.

Médium
On appelle médiums (ou additifs) tous les produits qui, incorporés à la couleur, en changent les propriétés. Les plus courants sont le médium à peindre, pour fluidifier la peinture, le médium de transparence, pour réaliser des glacis, et les siccatifs, pour accélérer le séchage des couleurs à l'huile.

Pigment
Substance colorée sous forme de poudre. Une fois mélangés au liant, les pigments ont la propriété de se fixer au support. Longtemps d'origine naturelle,

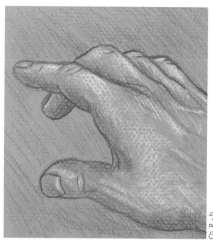

▲ Étude de main à la sanguine avec rehauts de blanc.

la plupart des couleurs sont désormais fabriquées à l'aide de composants synthétiques.

Rehauts
Touches de couleur claire ajoutées en fin de travail, les rehauts permettent de faire ressortir les zones les plus lumineuses.

Support
Tout matériau servant de base à une œuvre graphique.

Tempera
Peinture dont le liant est une émulsion d'eau et d'œuf. Elle était en vogue avant l'apparition de la peinture à l'huile, au début du XVe siècle.

Texture
Élément qui permet d'identifier un matériau (les fibres d'un tissu, le grain du bois, etc.).

Vernis à retoucher
Appliqué sur une couche de peinture à l'huile encore fraîche, il constitue un glaçage permettant de retravailler par-dessus.

Index